女はなぜ突然怒り出すのか？

姫野友美

JN283698

角川oneテーマ21

目次

まえがき　12
理由もなしにあきらめてはいけない／脳も体も違うのだからしょうがない／「差」を認めることからすべてが始まる／男女差を知ってこそ可能性が広がる

第1章 どうして女はいつもこうなんだ！
――男をイライラさせる「女脳の秘密」

❶ 女はなぜ、突然怒り出したり、泣き出したりするのか？　20
突然、嵐のごとく／女の脳は感情の通路が太い／「洪水」に対する備えは？
❷ 女はなぜ、喫茶店で2時間もしゃべり続けられるのか？　27
脳の「連絡のよさ」の違い／女の脳にとってはしゃべること自体が快感／女のおしゃべりは必要悪
❸ 女が「私の話を聞いてくれない」と怒り出すのはなぜか？　34

言葉の擦れ違いは脳の擦れ違い／女は共感してくれさえすればいい／男の話にはもっともらしい理由が必要／「相づち」の工夫ひとつで会話が変わる

❹ 女はなぜ、男を困らせるわがままをわざと言うのか？ 43
わがままは「愛情確認作業」？／女は「期間限定」の〝生もの〟／女は「アンビバレント」な生き物

❺ 女は男の夢やロマンをなぜ、受け入れられないのか？ 48
夢を追う男、現実に縛られる女／女には「目の前のこと」しか見えない／女は男の計画をぶち壊すもの／道を選ぶのは男の役割

第2章 女は悪魔か？ それとも天使か？
――恋愛・セックス・結婚…「女の罠の科学」

❻ 女はなぜ、恐ろしいほどに男の浮気を嗅ぎつけるのか？ 58
すべてはお見通し!?／「なんとなく、そう思うの」で女はすべて

を片づける

❼ 女は「許されない恋」にどうしてあこがれるのか？ 65
恋愛は「音読」や「計算」よりも効果大／女は恋に命をかけられる／「擬似恋愛」で脳を活性化

❽ 「愛は4年で終わる」というのは医学的には本当なのか？ 71
「恋愛ホルモン」の作用は長続きしない／冷めかけた愛を長続きさせたいなら

❾ 女はなぜ、キスやセックスに愛情を求めたがるのか？ 76
セックスは男の最終目的／男の快感はドーパミン、女の快感はエンドルフィン／セックスは男にとってはフィニッシュ、オンナにとってはスタート

❿ 女が「したくなる時期」はいったい、いつなのか？ 83
女の脳は性的興奮を高めにくい／セックスの直後にテレビをつけるのは、やっぱり厳禁？／女の性欲を高める方法は？

⓫ なぜ、子供ができると子供にしか目を向けなくなるのか？ 90
「出産前」と「出産後」ではまるで別人／哺乳類は授乳によって

12 女はなぜ、みんなして「ヨンさま」にハマるのか？ 96
愛を育てる／女は子供を産んで脱皮する
女たちの“生き直し作業”／女がクライシスを乗り切る鍵は？

第3章

男と女はやっぱり別の生き物!?
——男には理解できない「女の体のフシギ」

13 「花の命は短い」にもかかわらず、女はなぜ、長生きするのか？ 102
女を理解するには避けて通れない問題／女を美しくし、男を惑わせるホルモンとは？／女の一生はエストロゲンに支配されている

14 女はなぜ、生理になると、何もできなくなるのか？ 109
どんよりした梅雨が快晴に／生理時の女の扱い方で男の差がつく

⑮ 女には「悪女期」と「淑女期」があるといわれるのはなぜか？ 114
生理前になるとなぜ…!?／女にはオスを呼び込む時期と寄せつけない時期がある／見分けがつかないからこそ男と女はおもしろい

⑯ 見かけは20代でも中身は60代の女が増えている!? 120
20代なのに更年期障害のような症状が!?／やっぱり女は早く結婚して子供を産むべき？

⑰ 女はなぜ、性懲りもなくダイエットに励むのか？ 126
極端なダイエットは女の敵／ダイエットという禁断のゲーム

⑱ 「結婚するなら、女の母親を見ろ」というのは本当なのか？ 130
美人は遺伝する？　しない？／体型・体質は母性遺伝する？

⑲ 冷え性、貧血、便秘、女にはなぜ、いつも「不調」があるのか？ 134
女は体の警報センサーが発達している／冷え性という魔物／女の大半が経験済みの頻尿、膀胱炎／便秘と頭痛／肝心なときに倒れる貧血と立ちくらみが怖い低血圧

第4章

お願いだ、これだけはやめてくれ！
——男が困らされる「女の行動戦略」

20 女はなぜ、女同士お互いに足を引っ張り合うのか？ 144
女にとってはすべてが比較と競争の対象／女は相手を下げることで自分を保つ／男は「知らぬ存ぜぬ」でいたほうが長生きできる

21 女はなぜ、化粧のノリが悪いくらいで不機嫌になるのか？ 149
化粧はオスを惹きつけるための戦略？／男には化粧の細かい違いがわからない

22 普通に接したつもりがセクハラと騒がれた、なぜだ？ 154
〝脳の感度の違い〟からくる誤解／もてる男は「セクハラ」と騒がれない／話をしなければわかりはしない

23 女はなぜ、自分だけ「いい子」になりたがるのか？ 159
女は「周囲の期待」を裏切れない／女が疲れをためやすい「タイ

24 「私と仕事とどっちが大切なの」と女が詰め寄る理由は？　166
プE行動パターン」とは？／女はほめられることに飢えている
仕事さえできればいい時代ではなくなった⁉／ワン・モードの男とマルチ・モードの女／「選ばれたい」願望を満足させてやる

第5章 女を敵に回すか味方につけるかでは大違い！
――男がおさえておきたい「女対策のツボ」

25 女がブランドのバッグを欲しがるのはなぜか？　174
男にとっては迷惑千万／女の脳はモノに対する欲望を高めやすい／「ブランド好き」の本当の理由／女はプレゼントで育つ

26 女がメニューを選ぶのに時間がかかるのはなぜか？　183
「あれがいい…でもやっぱりこっちにする」／女は「選ぶ」よりも「選ばれたい」／女はつまらないものを「ため込む性」

27 女はなぜ、どうでもいいことですぐクヨクヨするのか？　189

女はストレスのセンサーが敏感にできている／女の悩みのタネは今も昔も人間関係

28 女はなぜ、トイレや給湯室で毎日ひそひそ話をするのか？ 195

女型の会話スタイルとは？／女はなぜ連れ立ってトイレに行くのか？／女はテレパシーでつながっている？

29 女は不満があると、なぜ、固まって反撃してくるのか？ 201

女は「群れ」の力を利用するもの／「受容」、「共感」、「支持」がポイント

30 男と女はわかり合えないのに、なぜ、こうも惹かれ合うのか？ 207

「動の幸せ」と「静の幸せ」／脳が変われば、性格や行動も変わる／男と女は変わるからこそおもしろい

あとがき 214

妻の気持ちがわからない／異生物間のコミュニケーションも可能

まえがき

★理由もなしにあきらめてはいけない

「女ってやつは、どうしていつもこうなんだ！」

そんな言葉を口走ったらさあ大変。

たちまちその場に居合わせた女の表情が変わって、「何言ってんのよ。『女』とか『男』とか、そういう目でしか『人』を見られないなんてレベル低ーい」と白い目で見られるのがオチ。それ以後、会話どころか相手にしてもらえないかもしれない。

思慮深い男たちは、その「地雷」を踏むことの危険をすでに身をもって知っているようだ。だから、うっかり地雷を踏まないよう、慎重に言葉を選び、ヘタに刺激しないよう苦慮しているように見える。なかには、まるで腫《は》れ物にでもさわるような怖々とした態度をとる人もいる。

ま、たしかにヘタにつっつかないことが安全策ではある。

それはそうだ。誰だってわざわざコトを荒だてたくはないし、めんどうを起こしたくない。でも、そうした慎重派の男たちのなかには、「どうも釈然としない」気持ちを抱えたまま、仕方なく口をつぐんでいる人が多いのではないだろうか。家庭や職場などで「なんで、こんなに肩身の狭い思いをしなければならないんだ」という不満を抱いているにもかかわらず、「ま、しょうがないか」というあきらめに似た気持ちで、口にシャッターを下ろしている人もいるかもしれない。

しかし、理由もなしにあきらめてはいけない。

多くの男たちは、何をするにあたっても解決するための「理由」を必要とするらしい。同じあきらめるのでも「なぜこうなるのか」という理由を納得してあきらめるのと、理由もわからずにあきらめるのとでは全然違う。また、相手を納得させられる正当な理由さえあれば、たとえ本音がポロッと出て女たちの反撃にあっても堂々としていられる。こちらに理論武装ができていれば、「ここはいっちょう勝負してやるか」という気にもなる。だから理由がわかれば自分の気持ちを抑圧する必要もないし、不満も半減するし、戦略だってたてられる。あきらめだってつく。

★脳も体も違うのだからしょうがない

男と女は違う生き物である。脳の構造も違えば、体の構造も違う。

特に脳の構造が違うということは、男と女がまったく別のフィルターを通して世界を見ているということだ。何に気をとられ、何を心地良く感じ、何を求め、何を守るか、といったものの考え方すべてが違ってくる。思考形態がまったく「別もの」なのである。

しかし、それにもかかわらず、多くの男女は自分たちが同じものを見て、同じように考えていると思い込み、自分の思考スタイルが相手にも通用するものと錯覚してしまっている。まったく違うのにもかかわらず「同じだ」という幻想に捉《とら》われてしまっているのだ。

それがそもそもの誤解の始まりである。

自分と同じだと思っている相手から、いちいち違う反応が返ってくれば、当然イライラもする。そして、多くの擦れ違いやトラブルを生む。だが、その理由は深く詮索《せんさく》されずに常に棚上げされ、後にはやり場のない不満だけが残る。

だから、男は女に対し、「女ってやつは、どうしていつもこうなんだ!」というフラストレーションを抱くようになるし、同様に女は女で「男って、どうしていつもこうなの」というフラストレーションを抱くようになる。

つまり、男と女がお互いの考え方や行動に疑問を感じたり不満を感じたりすることは、極めて自然なことなのだ。

★「差」を認めることからすべてが始まる

ところで、ここで大切なのは、男と女がお互いの「差」をどう認識しているかだ。

人間の能力には「差」はつきもの。バラつきがあって当たり前だ。

子供の教育の偏差値問題にしても、障害者などに対する福祉の問題にしてもそうだが、まずは「差がある」という事実をしっかりと受け止めることが肝心になる。その違いを認めてから、「じゃあ、どうしようか」という話がなされるべきだ。

しかし、「みんな同じだ」という幻想に捉われて、みんながみんな「差がある」という事実から目を逸《そ》らすような姿勢をとっていると、かえって悪平等を招くことになってしまう。

これは、男女の「差」についても同じだ。

女は「男との差」や「役割の違い」について敏感に反応するものだ。しかし、「自分たちに差がない」というところから出発してしまうと、「なぜ差や違いができるのか」という理由そっちのけで「平等」ばかりが訴えられるようになる。そして、お互いの不満を解消できないまま、根本の理由に目が向けられないままに、外堀がどんどん埋められていくような状況になっていく。誰もが「女の立場に対してよき理解者」であることが求められ、その前提の前では、「理由もなしにあきらめる」ことが当たり前のような状況になってしまうのだ。

そして、こうした流れに巻き込まれていった男たちは、いつの間にか自分たちの居場所がどんどんなくなってしまってきていることに気づく。釈然としない気持ちを残したまま、知らず知らずのうちに不利な方向に流されてきてしまったわけだ。

だから、いまこそ私たちは「自分たちには差がある」という原点に立ち返る必要があるのではないだろうか。これは男にも女にも言えることだ。大切なのは、まずその「差」をしっかりと認めることなのである。

これは、どっちが優れているとか、どっちが劣っているとかという問題ではない。男女には「差」があり、「差」がつくのには必ず理由がある。

そして、それをつきつめていくと、結局は脳や体の違いの問題につきあたる。その理由を知っておくことが、男にも女にも必要なのだ。

特に最近は、脳科学、医学、生物学、動物行動学などのさまざまな分野で、男と女の考え方や行動の違いの理由が明らかにされてきている。日ごろから不可思議に思っている相手の思考法や行動が、男女間の脳や体のメカニズムの違いからくることだとわかっていれば、相手とつき合っていく際の対応の仕方も大きく変わるはずだ。

また、そうしたお互いの違いをきちんと認めていれば、男の得意なことと女の得意なことの違いがわかり、お互いの役割の違いも見えてくる。そうやって男と女がお互いの「差」をしっかり理解したうえで、はじめて「どうやって差を乗り越えるか」とか、「どうやって誤解や擦れ違いをなくそうか」という話ができるのではないだろうか。

★男女差を知ってこそ可能性が広がる

この本で私は、男が「女ってやつは、どうしていつもこうなんだ！」と感じるときの「どうして」について書こうと思っている。

男に女の生理の痛みをわかれといっても無理だし、女に男の射精の快感をわかれといっても無理だ。これは生物学的な差だからしょうがない。これと同じように、「どうしてこうなんだ！」という女に対する疑問符にも、たいていは科学的な裏づけが存在する。それを紹介していこうと思う。

おそらく、日ごろから女に対し言い表すことのできない不満を感じている人にとっては、恰好《かっこう》の理論武装になるのではないだろうか。ひょっとしたら、「科学的な理由」という鎧《よろい》を着たことによって、地雷がたくさん埋められていそうで今までは踏み込めなかった道にも、踏み込むことができるようになるかもしれない。

しかし、念のためにお断りしておくが、私はこの本によって、男に女の悪口を言わせようとしているのでもなければ、女の社会進出や地位向上を阻もうとしているわけでもない。私も女であり、社会のなかでの女の可能性の幅を広げていくことは大切だと考えている。

ただ、男と女はあまりにも違いすぎる。だから、男と女が本当にお互いを理解し、歩み寄っていくためには、なぜ擦れ違ってしまうのか、お互いの「どうして…」の理由をもっときちんと知ることが必要だと考えているのだ。

男は女なくして生きていけないし、女も男なくして生きていけない。だが、お互いが共存していくためには、相手はものごとの捉え方も感じ方も、自分とはまったく違う別の生き物なんだということをしっかり認めたうえでつき合っていかなければならない。お互いの違いを擦り合わせていけば、相手や自分に何が欠けていて何が必要なのかということがだんだん見えるようになってくる。そして、その互いの違いに目を向ける姿勢が、家庭や職場などでの男と女の関係を、きっとより「わかりあえる」ものにしてくれるはずだ。

そうした知恵をこの本によって身につけ、男女の距離を縮めるために大いに役立ててほしいというのが私の願いである。

著者

第1章

どうして女はいつもこうなんだ！

男をイライラさせる
「女脳の秘密」

1 女はなぜ、突然怒り出したり、泣き出したりするのか？

☆突然、嵐のごとく

この本のために30代から50代の男性100人に対してアンケートをとった。

「おんなってやつは、どうしてこう○○○なんだ！」の○○○に思い当たる言葉を入れてくださいという質問をしたところ、ダントツの1位は「すぐ感情的になる」という回答。ちなみに2位が「おしゃべり」、3位が「わがまま」だった。

まずは、こうした人気の高い「苦情」から、理由を解説していくことにしよう。

「すぐ感情的になる」という回答がトップになったのは、それだけ男が職場や家庭においておんなのこうした反応に迷惑しているということだろう。

とかくおんなは激しい感情を表に出すことが多い。いきなり怒り出したかと思えば、次の瞬間にはワーッと泣き出したりする。

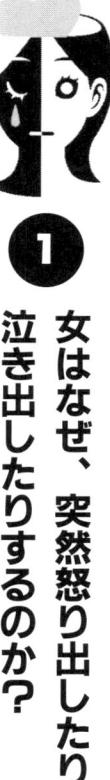

たとえば、妻や彼女とのこれまでのつき合いを振り返ってみてほしい。

ほんの些細《ささい》な行き違いから感情的になられてしまい、困惑した経験があなたにも少なからずあるはずだ。家のなかならまだしも、往来や電車のなか、レストランなどでキレられたり泣かれたりしたらたまったものではない。その感情の起伏の激しさに男はついていけず、ただ苦笑いを浮かべるばかりだ。

また、おそらく仕事でもヒヤヒヤさせられる場面があることだろう。

会議や商談の席などでは、たとえ不合理であっても「ここは穏便に済ませたい」ということがあるものだ。男の社員の多くはその不満や憤りをグッと呑《の》み込んで我慢している。しかし感情的になったおんなの社員はそれを口や表情などで表に出してしまう場合がある。時には正論を言って何が悪いんだという態度をとるので、なだめるのに苦労のいることもある。あるいはその場でぐっと我慢しても、会議が終わってドアを出た途端に突然怒り出すおんなもいる。

ある人材派遣会社のCMでもみられるように、怒って電話をかけてくるのはたいていおんなの社員だ。

そして、困ったことにこうした感情の「嵐」は、何の予告もなく突然に訪れることが多い。なかには、まるで「晴れ、突然大嵐、後、どしゃぶり」といったように激しく天気が移り変わるおんなもいる。あまりの急な展開にあっけにとられてしまい、おそらく男は傘を差し出す余裕すらないのではないか。

朝出勤したら隣のおんな社員の荷物がそっくりそのまま消えていたなんてことを経験した人もいるだろう。

このような場面に運悪く遭遇した男が、「ああ、おんなってやつは、どうしてこうなんだ！」と天を仰ぎたい心境になるのも無理はないだろう。

☆女の脳は感情の通路が太い

では、なぜこのようにおんなはすぐ感情的になるのか。

答えはやはり、脳の構造の違いにある。

間脳に「前交連」という左右の脳をつなぐ連絡回線があるが、これは言ってみれば「感情の連絡通路」。主に「好き・嫌い、快・不快、怒り、恐怖」などの感情成分を情報として交換しているところだ。

この前交連が、おんなのほうが男より太いのである。

言わば、おんなの脳は、感情の通路が太くできているのだ。通路が太いと、感情に関する多くの情報をいっぺんに流すことができる。そして、そのためにおんなは一般的に感情表現

① 脳の構造はこうなっている

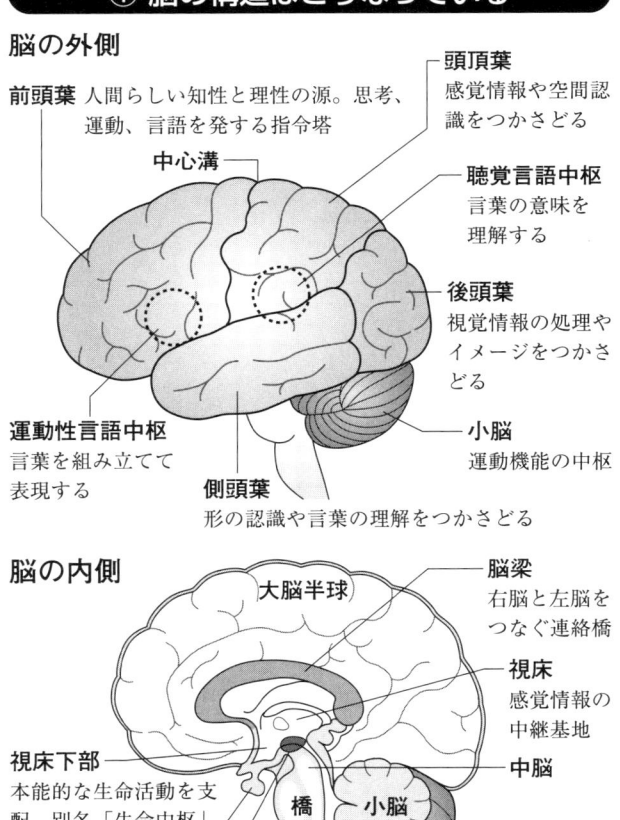

脳の外側

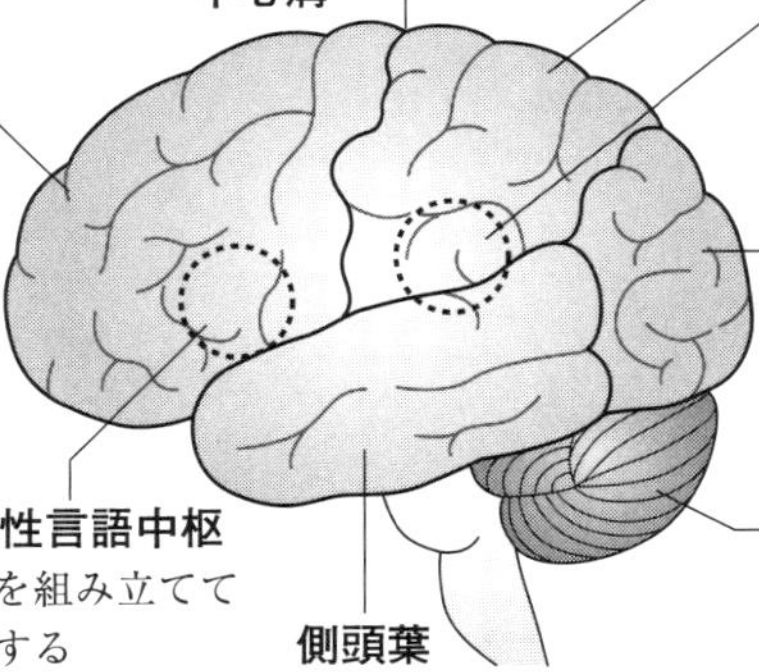

脳の内側

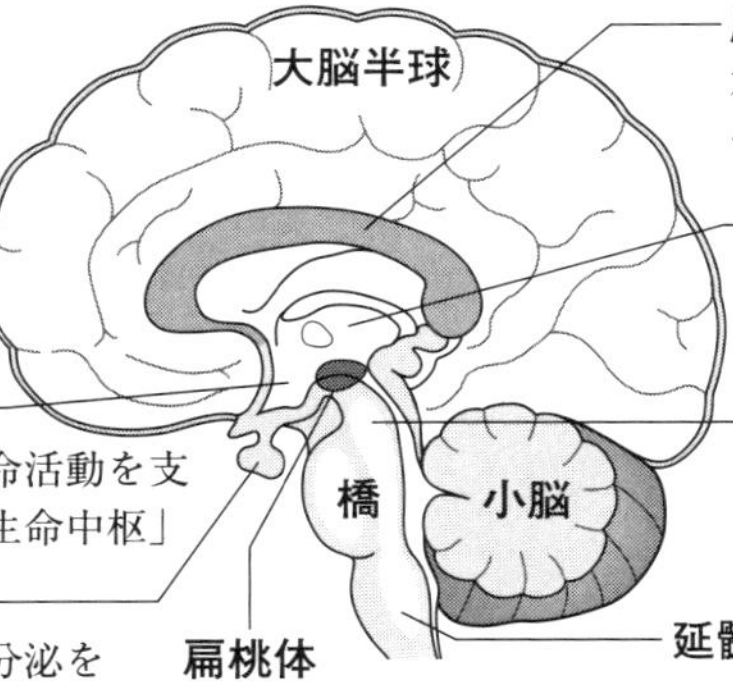

豊かで、情緒的にも濃《こま》やかな対応をとることができる。

しかし、厄介なのは、より多くの感情情報を扱える分、あまりにたくさん情報を流しすぎて処理能力が追いつかなくなる場合があることだ。また、たとえ情報が少なくても、その一部の情報を増幅させてしまい、好き嫌いの思い込みをふくらませたり、不安や怒り、悲しみなどを大きくしてしまったりする場合もある。

つまり、男から見れば穏やかな小さな波でも、おんなはその波を何倍にも大きくしてしまう傾向があるのだ。そして、その大きくなった感情の波を男に向かってぶつけてくる。いきなり大波をかぶせられた男としては、「いったい、何が起きたんだ」と、びしょびしょに濡《ぬ》れたままあっけにとられてしまうのも当然だろう。

だから、「おんなはちょっとしたことですぐに感情的になる」ということになるのだ。

☆「洪水」に対する備えは？

そして、問題なのは、風雨と波が高まって防波堤が決壊してしまった場合だ。情報が錯綜《さくそう》して処理能力の限界を超えると、連絡回線がショートしてしまい、感情がいっぺんにあふれだしてしまう。こうなると、おんなはあふれる感情を自分で抑えられなくなって、突然にキレて怒り出したり、びっくりするほどの大声で泣き出したりする。

②“感情の通路”前交連の構造

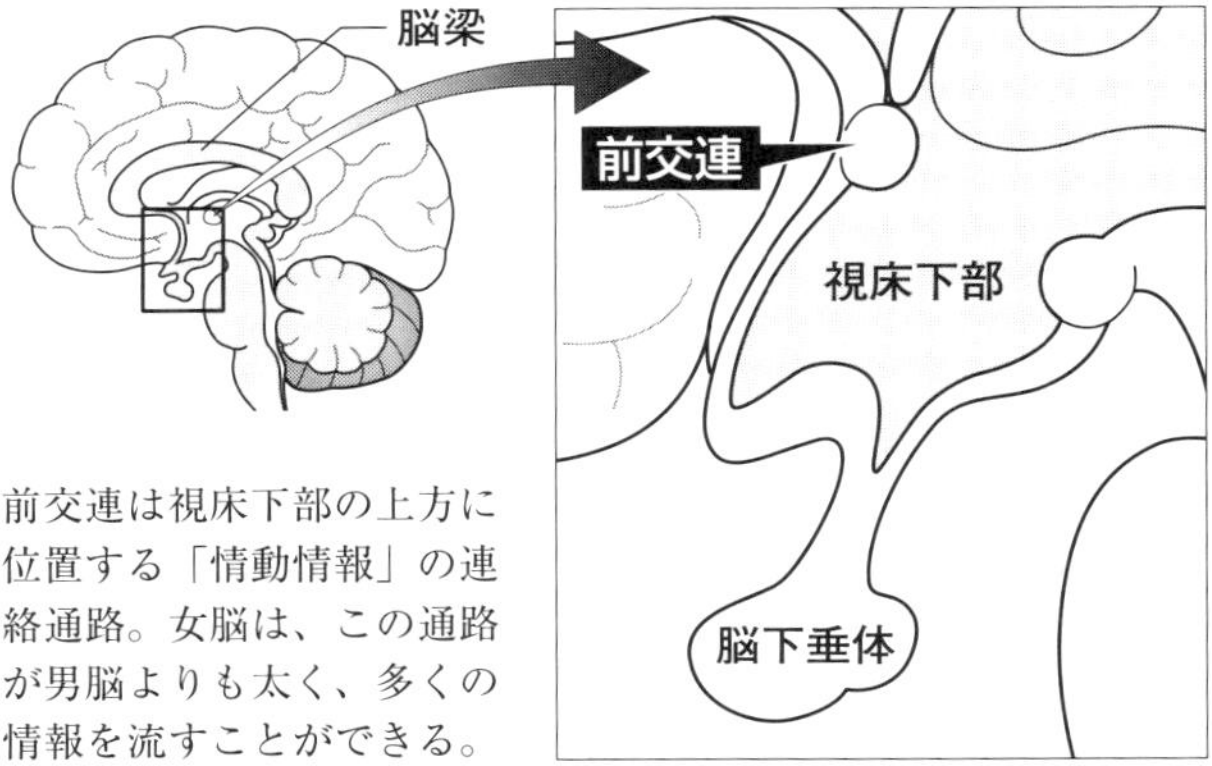

前交連は視床下部の上方に位置する「情動情報」の連絡通路。女脳は、この通路が男脳よりも太く、多くの情報を流すことができる。

このような感情の洪水に見舞われているとき、おんなはいろんな気持ちが一斉に押し寄せてきて、怒っていいのか、笑っていいのか、それとも泣けばいいのか、どの感情をとったらいいのか自分でも皆目わからなくなる。これは一種のパニック状態だといっていい。目の前の男に対して文句を言いたいのか、すがりたいのか、自分でもわからないのだ。

だから、もし妻や彼女、おんなの部下などがこのような状態に陥ったら、あなたはヘタに刺激せずに放っておいたほうがいい。

おんなの繰り出すワケのわからない言葉に対してあなたが不満を表したり怒ったりしようものなら、それはもう火に油。ますますおんなはパニックになってしまうだろう。

結局、こうした感情の爆発は自分自身にぶ

つけられているもの。泣いて、わめいて、ひと段落すれば、涙や大声でストレス・ホルモンが放出されて落ち着いてくるはずだ。だから、「ああ、よし、よし…」と表面上はなぐさめながら、彼女の「一人舞台」を遠目で眺めていたほうがよい。

そして、落ち着いたのを見計らい、「さて、そろそろかな…」というときになったら、「さあ、飲み物でもどう？」などと、さりげなく気分を変えてやればいい。

ちなみに、飲み物を差し出すなら、ココアやチョコレート・ドリンクなどの甘いものがおすすめだ。ブドウ糖が素早く脳に届き、とりあえず脳を落ち着かせてくれる。また、はちみつを入れたホット・ミルクなら、イライラを鎮めるカルシウムも豊富。はちみつに含まれるビタミンB_6は感情を抑えるホルモンのセロトニンをアップさせることもできるだろう。

❷ 女はなぜ、喫茶店で2時間もしゃべり続けられるのか？

☆脳の「連絡のよさ」の違い

よくおんなの脳は言語能力が発達しているといわれる。

これは、男がおもに左脳だけで言葉を操るのに対し、おんなは左脳と右脳の両方を使って言葉を操っているからだ。男の脳とおんなの脳で構造上もっとも大きく違っている点は、「脳梁《のうりょう》」という左右の脳をつなぐ連絡橋の太さだ。おんなの脳はこの連絡橋が男より太くできているために左右の脳の連絡がよく、言語情報をはじめとしたより多くの情報を次から次へと流せるようになっている。つまり、脳が次から次へとポンポンと言葉を発することができるようになっているのだ。

だから、おんなは子供から年寄りまで、とにかくよくしゃべる。乳幼児期におんなの子供のほうが言葉を覚えるのが早いのも、女子中高生が携帯電話で「絵文字言葉」を発達させるのも、主婦や年寄りたちが道端で延々と井戸端会議をしているのも、すべてはしゃべるのが得意な女脳のなせるワザだといっていい。

しかし、こうしたおんなの「特性」を、はなはだ迷惑だと感じている人も多いのではないだろうか。

おんなのおしゃべりは、男をぐったり疲れさせるものだ。

口を挟む隙すら与えずに延々としゃべり続けるおんなを前にしていると、男はだんだん辛抱を通り越して相づちを打つのさえ億劫《おっくう》になってくる。おそらくは、彼女が喫茶店で2時間も3時間もしゃべりっぱなしなのに辟易《へきえき》している人や、帰宅後、いつまでも終わらない妻のグチ攻撃にうんざりしている人も、たくさんいることだろう。

また、声が高いのでけっこう耳に響く。「女三人よれば姦《かしま》しい」とはよく言ったもので、電車や喫茶店などで女子高生やおばさんなどの集まりに隣に座られたときには、男だけでなく、周囲のおんなたちもそれ相応の覚悟が必要になる。周りの迷惑も顧みずに耳元でぺちゃくちゃぺちゃくちゃとやられたら、車両を替えたくなる人も多いだろう。私なんぞは「やってるやってる」と黙ってきいている。

☆女の脳にとってはしゃべること自体が快感

だが、まあ、それも仕方のないことなのだ。男にとっては悲しいことだが、「おんなのお

③ 女脳が「言葉」に強い理由

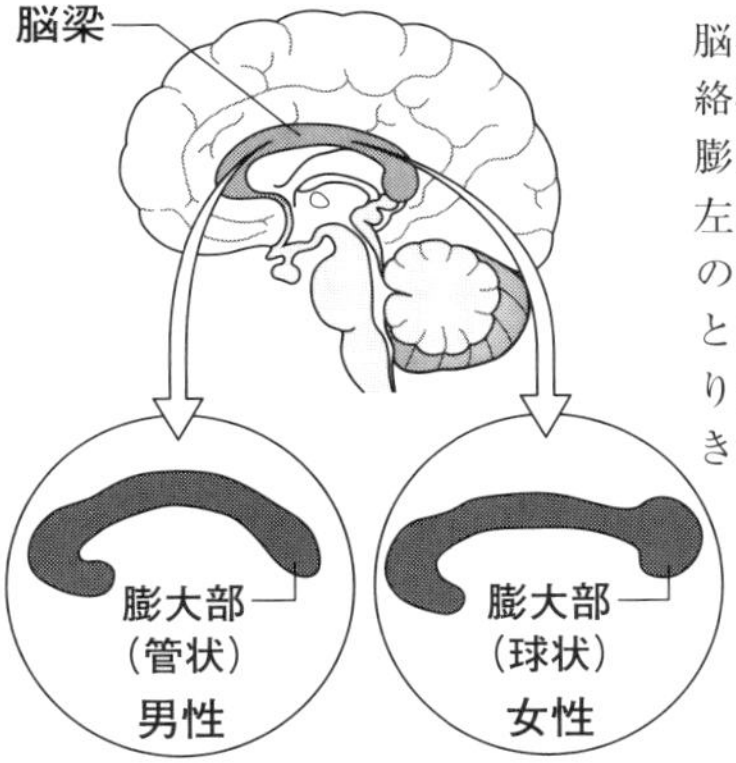

脳梁は左右の脳をつなぐ連絡橋。女脳は、この脳梁の膨大部が男脳に比べて太く、左右の脳の連絡がいい。このため、言語情報をはじめとしたさまざまな情報をよりたくさん流せるようにできている。

しゃべりは止められない」のである。

そもそも「しゃべる」ということに対する価値の置き方が、男とおんなとでは脳構造の段階からして根本的に違っている。しゃべる能力ももちろんだが、しゃべることに求めているもの、しゃべることに対する欲求…すべてにおいて次元が違うといっていい。男の脳とおんなの脳とでこんなにも違うんじゃしょうがない。だからあきらめたほうがいい——ということである。

それにしても、男からみれば、よくあそこまでしゃべり続けて飽きないものだと、あきれるのを通り越して不思議になるくらいだろう。

ただ、よく聞いてみると、たいていの場合、たいした内容を話しているわけではない。

「2組の○○君は△△ちゃんのことが好きらしい」とか「4丁目にできたケーキ屋がおいしいと評判」だとか、「××小児科の先生は趣味がフィギアの収集らしい」とか…。おそらく、「うわさ話」と「情報交換」が80パーセントを占めるのではないだろうか。

どうして、そんなたわいもないことを延々と話していられるのだろう。

それは、おんなの脳にとっては、話すこと自体が「快感」だからである。話している内容はあまり問題ではないし、話が結論に至らなくても全然構わない。それで次から次に話題が変わり、おしゃべりがとめどなく続くのである。

これには、ドーパミンというホルモンが関係している。これは、別名「快感ホルモン」と呼ばれる物質。サッカーでゴールが決まったときの爽快《そうかい》感や恋人と会うときの心躍る高揚感、思いがけずプレゼントをもらったときなどのうれしさも、このドーパミンの作用によるものだ。

つまり、おんなはしゃべることによって、このドーパミンを活性化させているのだ。

おんなにとっては「おしゃべり＝発散」。恰好《かっこう》の話し相手を見つけてしゃべり始めると、脳内にドーパミンが出て、「発散できてうれしい、楽しい」という状態になる。そして、ドーパミンはおしゃべりが盛り上がるほどに活性化し、ますます快感がアップ。「ああ、もうやめられないわ」という状態になっていく。

これはパチンコで勝っているときに、なかなかやめられないのと同じ状況だといっていいかもしれない。すなわち、おんなの脳にとって「しゃべること」は、ついついハマってしまう麻薬のような快感なのだ。だから、ああも延々と話し続けることができるのである。

☆女のおしゃべりは必要悪

また、おんながおしゃべりをやめられないのには、もうひとつ大きな理由がある。

それは、おんなは男よりも日常生活のこまごましたことでストレスをため込みやすく、しゃべることがそれを発散する手段になっているということだ。

先の項目で触れたように、前交連という感情の通路が太くできているおんなは、不安や悲しみなどを増幅してしまう傾向が強い。これはストレスに対するセンサーが敏感にできているということで、そのため、おんなはしばしば小さなストレスに過敏に反応してしまったり、ストレスを強調して受け取ってしまったりする。

さらに、これには脳内ホルモンのセロトニンも関わっている。

セロトニンには精神を安定させたり、心を幸せな気分にしたりする働きがあり、不足するとうつや落ち込みを招いたり、キレやすくなったりすることが知られている。おんなはもともと、このセロトニンの分泌量が男よりも少なく、しかも、その分泌が生理周期の影響を受けるために不安定な状態であることが多い。こうした理由から、おんなの脳は、ストレスや不安、不平不満やイライラなどを山のように抱え込んでいるのが、ごく普通の状態になっている。

そして、そんな心のなかの鬱積《うっせき》をスッキリ晴らしてくれるのが「おしゃべり」なのだ。おんなが「聞いて聞いて聞いて！」と人に自分の話を聞いてもらいたがるのも、つまらないことで電話をかけてくるのも、ストレスの吐き出し口を求め、しゃべりたくてウズウズしているからだ。しゃべることによってドーパミンが出ると、頭のなかに巣食っていたもやもやした気分が発散され、その快感からセロトニンのレベルも上がってくる。つまり、世のおんなたちは、日ごろのセロトニン不足を補うために、おしゃべりによってドーパミンを出してバランスをとっているというわけだ。

話を元に戻そう。だから、基本的におんなのおしゃべりは止められないのだ。おんなの脳にとって、しゃべることは防衛本能のようなもの。しゃべる機会や場をおんなから取り上げてしまったら、おんなの脳はたちまちのうちに「吐き出せないもやもや」をため込んでうつになってしまうかもしれない。また、「全然私の話を聞いてくれない！」と、たまった鬱憤の攻撃の矛先があなたのほうに向いてくることも十分考えられる。

だから、次から次へどうでもいいことをしゃべり続ける妻や彼女を前に、うんざりした気分になっていても、それも妻のため、彼女のため。おんなの脳の健康のためと思ってある程度ガマンしたほうがいい。

おんなのおしゃべりは必要悪。適当にうまく相づちを打ちながら、たまったもやもやをスッキリ吐き出させてしまったほうが、男にとって身のためなのである。

❸ 女が「私の話を聞いてくれない」と怒り出すのはなぜか？

☆言葉の擦れ違いは脳の擦れ違い

男女間の感情のもつれは、ほとんどが会話の擦れ違いから生まれる。

これは男女間の「脳の擦れ違い」と言い換えてもいい。

だから、男とおんなの言語に対する感覚のズレに対して、ここでもう少し詳しく触れておくことにしよう。

たとえば、あなたは次のような会話に心当たりはないだろうか。

（つき合い始めて半年の男女の夜遅くの電話での会話）

♀「もしもし、○夫？　いま大丈夫？」

♂「ああ、いいよ。ん？　何か元気ないね」

♀「うん、なんかちょっと疲れちゃって…。実は今日会社でこんなことがあったの」（…

と自分の悩みをくどくどと話し出す）
♂「ああ、そうだったの…。だけど、そういう場合、対処の仕方はその会社それぞれだからなあ…。うらん…。もし、必要ならその問題について詳しい人を紹介しようか…。うん、そうだ。それがいい」
♀「いや、そうじゃなくて…ちょっと話を聞いてもらいたかっただけなんだけど…」
♂「でも、それじゃあ、何の解決にもならないんじゃない？　その人はきっと君の役にたってくれるはずだよ」
♀「別にいいの！　解決しなくても」
♂「何だよ、それ。人がせっかくアドバイスしてやってるのに」
♀「そう言って、いつも○夫は私の話を聞いてくれないじゃない。いつもそう。私の気持ちなんか全然わかってくれないんだから…」
♂「聞いてやってるだろ、ちゃんと。なのに何で俺が怒られなきゃならないんだよ」
♀「もう、いいわよ！」（ガチャン！）

この例において、おんなはただ単に話を聞いてほしいだけなのだ。
おんなは、ただ聞いてくれればそれでよく、それ以上のものは求めていない。にもかかわらず、男はそのおんなの気持ちが読めずに、アドバイスをしたり、解決策を提供しようとしたりする。だから、お互いの思惑と言葉が擦れ違い、かえってややこしい展開になるのだ。きっと、「あなたは私の話を全然聞いてくれない」というセリフを耳にタコができるくらい聞かされている人も少なくないことだろう。

それにしても、せっかくこちらが建設的なアドバイスをしているというのに、いつもこのようにキレられては、男としてはたまったものではないだろう。おそらく、毎度同じようにこのような会話をおんなと繰り返し、毎度同じように話がもつれてしまうという人もいるはずだ。

いったい、このように男とおんなの話が擦れ違ってしまうのは、どうしようもないことなのだろうか。

☆女は共感してくれさえすればいい

ここで少し擦れ違いの背景を分析してみよう。

まず、男とおんなとでは、会話に何を求めているかが違う。おんなの脳が会話に「共感」を求めているのに対し、男の脳は会話に「解決」を求めているのだ。

そもそもおんなの脳は、その構造からして「他者との共感」に反応しやすいようにできている。前交連という感情の通路が太くできているために、「他人が自分をどう見ているか」「他人に自分のことをいかにわかってもらえるか」といった情報をキャッチしやすい構造になっているのだ。おんなが「自分の気持ちをわかってほしい」という感情を大きくふくらませがちなのはこのためである。

また、この「共感してほしい」という欲求は、太古の時代、採集狩猟時代から女脳にインプットされている本能だと言っていいだろう。これには、次のような理由が挙げられる。

昔、男たちが狩りで家を空けている間、おんなたちは集団で村を守り、木の実を採集しながら生活をしていた。そして、その集団生活では、コミュニケーションをとることによっておんな同士のヨコのつながりを深め、結束を固めていく必要があった。なぜなら、その集団から仲間はずれにされることは、おんなにとっては死を意味する。ひとりでは生きていけないし、子供も育てられない。だから、そうならないように木の実を採りながら仲間とおしゃべりをし、集団のなかでの自分の評価やポジションを確認する必要があったのだ。そのためには、話をしながら「相手が自分をどう見ているか」「どうすれば相手に自分のことがわかってもらえるか」を機敏に見抜く共感能力を身につけることが不可欠であったというわけだ。

つまり、おんなは何かにつけて相手との関係性を確認せずにはいられない。それを確認するには、相手と共感することがいちばんだ。だから、とにもかくにも話をして共感し、安心したいのだ。そして、共感さえできれば、話の結論が出なくても問題が解決しなくても全然構わない。多くの男には理解しづらい感覚だろうが、話を聞いてもらえ、「自分の気持ちをわかってもらえた」と感じることができれば、それで十分満足なのである。

☆男の話にはもっともらしい理由が必要

これに対して、男は会話に「結論」や「解決」を求めたがる。そして、それを裏づける「理由」がないと納得しない。

男が「解決」や「理由」を求めるのには、男性ホルモンのテストステロンが関係している。このテストステロンは、平たく言えば、「他者に勝ちたい」という欲求を強くするホルモンだ。おんなにもテストステロンはあるが、男はおんなの10〜20倍も多い。男におんなより攻撃的傾向が目立つのも、他者に対する支配欲や所有欲が強いのも、このテストステロンによる作用だ。そして、男は成長に従い、上下関係に厳しいタテ社会において、どうやって自分が出世をするかということに執心するようになっていく。言わば、集団で狩りを行う際の自分の序列を気にし、少しでも頭角を現わそうともくろむようになるわけだ。

ただ、男が「その集団のなかで認められる」という問題を解決するには、必ず「狩りがうまい」とか「仲間の信望が厚い」とか「経済力がある」といった理由がいる。そして、男はその理由を他人に認めさせるために、自分のプライドをかけて主張する。理詰めで相手を説き伏せようとするのだ。政治家や革命家のアジ演説がそうであるように、男にとって「話すこと」は自分を認めさせるための他者との闘いだ。つまり、テストステロンによる「他者に勝ちたい」という欲求の表れなのである。

だから、人と話すとき、男は問題を解決するための納得できる「理由」を見つけないと、そう簡単には引き下がらない。男は人と話している最中も、どうやって話に論理的な決着をつけ、どうやって相手を論破するかを常に考えているものだ。そして、自分なりの論理的決着点、すなわち「理由」が見つかれば、その理由を説き、相手を説き伏せようとする。この場合、その理由が正当かどうかは男にとってあまり問題ではない。男はもっともらしい理由が見つかれば、「これがいちばんの解決策だ」とばかりにテストステロン全開で相手を論破しようとする。こうした「話で相手を打ち負かしたい」という欲求も、厳しいタテ社会を生き抜くために備えられた男の本能ということができるだろう。

つまり、「ヨコのつながりが欲しいおんな」に対して、男は「タテの論理」をふりかざす。これでは話が成立するほうがおかしい。それでいて、お互い「自分のほうが正しい」と思って譲らないから、なお始末が悪い。そこに擦れ違いや誤解が生まれるのも当然というわけだ。

☆「相づち」の工夫ひとつで会話が変わる

さて、では、この会話スタイルの違いを、男とおんなはどうやって克服すべきなのだろう。

ここでポイントになるのは、「共感してほしいだけのおんな」の話を、「相手を打ち負かしたい男」がどこまで受け入れてやれるかという点だ。

先にも触れたが、男たる以上、「理由」もなしに相手と話すことをあきらめてはいけない。だが、相手はただ「共感してほしいだけ」なのだから、アドバイスをしたり説き伏せたりして、かえって嫌な顔をされるのもしゃくにさわる。それに、まともにおんなの話につき合うのは男にとってはたいへん骨の折れる作業だと思う。たとえおんなを説き伏せるのに成功したとしても、おそらく男の脳はぐったり疲れてしまうだろう。「労多くして、〝益〟少なし」という徒労感が残るのは、まず間違いない。

だから、ここは「どうせたいした話ではないのだから」と割り切って、「聞き流し作戦」に入ることをみなさんにおすすめする。

ただ、その聞き流し方にもコツがいる。

特にグチっぽい話になると、おんなは主語が誰で何のことをいっているのか皆目わからないような話し方をするものだ。そういうときにも「お前は、だから何が言いたいんだ」などと声を荒らげてはいけない。また、「それで、何が言いたいの？」とか「結局、こういうことなんだろ」といった結論を急ぐ発言も避けたほうがいい。「それで？」「だから？」「結局は？」といった言葉をなるべく使わず、話をまとめにかかりたい衝動をグッとこらえて馬耳東風に徹するのがポイントだ。そして、代わりに「なるほど」「わかるよ」「それは大変だったね」といったおんなの共感してほしい気持ちを肯定するような言葉で相づちを打つようにするといいだろう。

つまり、何も真剣に話を聞く必要はない。大切なのは「話をできる場」がそこにあるということだ。だから、自分なりに相づちや表情を工夫して「共感するポーズ」をしていれば十分なのだ。そして、このような「聞くフリをする技術」を身につければ、おんなの話を聞くときの男の精神的負担もかなり軽くなるだろうと予測される。慣れてくれば、おんなの話も右の耳から左の耳へと流れる音楽のように聞こえてくるかもしれない。

ただし「『聞くフリをする』ことさえ難しい」「そんな演技力はない」とボヤく方もいらっしゃるだろう。しかし「演技力」は、男社会のなかで生きていくための重要な資質だ。おんなとの会話はそれをトレーニングする恰好の場面と心得たほうがいい。

今やどの組織にもおんなはいる。おんなを制さずして組織のなか、社会のなかでのし上っていくことは不可能である。それは、二〇〇五年の「小泉劇場」を見ていたらわかる。「演技力」はいずれその人のパーソナリティになる。

以前、映画『Ｓｈａｌｌ ｗｅ Ｄａｎｃｅ？』のプロモートで来日したリチャード・ギアが、レポーターに「夫婦円満の秘訣《ひけつ》は？」と聞かれて、「それは妻のグチを聞くことだ」と答えていた。おそらく、男女の会話スタイルの違いをしっかり理解したうえでのコメントなのだろう。

男がおんなの話につき合うには、それくらいの「割り切り」が必要なのだ。

4 女はなぜ、男を困らせるわがままをわざと言うのか？

☆わがままは「愛情確認作業」？

ここではおんなの「わがまま」について分析してみようと思う。

男性100人にとったアンケートを見ると、「気まぐれ」「身勝手」「欲張り」「ああ言えばこう言う」「自分の主張ばかり通そうとする」など、「おんなのわがまま」の意味する範囲は広い。なかでもここでは、無理難題を言って男をわざと困らせるタイプの「わがまま」について考えてみることにしよう。

時には、ほおをふくらませてすねてみたり、時には子供のように駄々をこねてみたり、また時にはわざといじわるな要求をつきつけてきたり…。とかくおんなは、さまざまな手を使って男を困らせようとするものだ。

おそらく、こうしたおんなのわがままに手を焼いている人は少なくないだろう。そんな気まぐれにまともにとりあっていたら、男は振り回されたあげく、ほとほと疲れてしまう。いったい、おんなという生き物は男を翻弄《ほんろう》するようにできているものなのだろうか。

こうした「おんなの気まぐれ」はその裏に「愛情を確認したい気持ち」が隠されているのである。

おんなはつき合っている男が本当に自分だけを愛してくれるのかどうか、その相手を本当に選んでいいのかどうか、常に不安を抱えている。だから、わざと困らせることをしてあの手この手で愛情を確認しようとしているのだ。

☆女は「期間限定」の〝生もの〟

また、おんながこのような「愛情確認作業」をする背景には、「自分のおんなとしての〝旬〟を逃したらたいへんだ」という本能的な焦りがあるといっていい。

おんなとは本来、時間をかけてじっくり男を選びたいという願望を持っているものだ。男は「ばら撒《ま》く性」なのに対し、おんなは「受け止める性」である。男が種をたくさんばら撒いていればいいのと違って、おんなは通常1個しか遺伝子を選べず、しかもそれを産み、育てる手間を否応《いやおう》なく負わなければならない。だから、たくさんの選択肢のなかからより優秀な遺伝子を受け止めるために、その遺伝子でいいのかどうかをできるだけ多くの情報を集めて比較検討し、時間をかけてじっくり選択したいのだ。

ただし、おんなが男の遺伝子を受け入れられる「期間」は限られている。「もっとよく吟味したい」と時間をかけすぎてしまうと、いつの間にか美しさが衰えてしまったり、婚期を逃してしまったり、受胎不可能な年齢になってしまったりすることも考えられる。つまり、おんなは「期間限定」の〝生もの〟。うかうかしているとおんなとしての〝旬〟を逃してしまうわけだ。

このため、おんなは鮮度が落ちないうちに早く「より優れた遺伝子」を受け止めなければならない。「本当はもっと時間をかけてじっくり選びたい」のだが「そう長くは待ってられない」のだ。だからおんなは、そうした焦りや不安を解消するために、気まぐれやわがままを言っては男を困らせ、その遺伝子を受け入れることが自分にとってベストなのかどうか、男たちに試練を課して観察しているというわけだ。

✩女は「アンビバレント」な生き物

ところで、「本当はじっくり遺伝子を選びたい」のだけれど「もう待ってはいられない」というように、心が板ばさみ状態になっていることは、おんなにとって決してめずらしいことではない。むしろ、それが当たり前の状態だといえるだろう。そして、そこに女心の不思議を読み解く大切な鍵《かぎ》が隠されている。

そのキーワードが「アンビバレント」。ひとつの心に相反する感情や価値が両立して存在することを指す言葉だ。

考えてもみてほしい。女心には相反する気持ちが不思議なほど違和感なく同居しているものだ。「好きなんだけど嫌い」「愛《いと》しいけど憎い」「(セックスを)許したいけど許さない」「天使のようでもあり、悪女のようでもある」——まるで「ジキルとハイド」のようだが、ひとりのおんなのなかにはそんな正反対の心が矛盾なく住んでいる。おんながコロコロと気分を変えてはわがままを言ったり、男を振り回したりするのも、このアンビバレントな感覚が根っこにあるからだといっていいだろう。

ちなみに、おんながミニスカートをはきながら「見られまい」と隠すのも、「見せたい」という意識と「隠したい」という意識が心のなかに何の違和感もなく同居しているからだ。「見せるのはもったいないけど、いま見せなかったら後悔するかもしれない」「オスの目を惹《ひ》きつけたいけど、あまりジロジロ見られたくない」といったアンビバレントな感覚が働いているのだ。

男からすれば不可解な感覚だろう。「見せたいのか、見せたくないのか、ハッキリしろよ」と言いたくなるのも当然だ。

しかし、肌を露出しながらも見られまいとするアンビバレントな行動が「オスを惹きつける力」になっていることは疑いない。誘っているのか、拒んでいるのか、判然としないからこそ、おんなはいっそう妖《あや》しく見えるものなのだろう。その妖しい光にオスはまるで誘蛾灯に群がる虫のように、引き寄せられてしまう。

結局、こうした「不可解さ」が男の目には魅力に映ってしまうのだ。おんなの困った気まぐれもミニスカートも、オスを選別したり惹きつけたりするための戦略なのだ。そして、男はそのアンビバレントな戦略に振り回されるようにできているのかもしれない。

そう考えると、おんなの気まぐれやわがままも少しは違って見えてくるのではないだろうか。

5 女は男の夢やロマンをなぜ、受け入れられないのか？

☆夢を追う男、現実に縛られる女

♂「いいか、俺にはずっとひそかに抱いてきた夢があるんだ。いまはこんな生活をしてるけど、2、3年後には、必ず実現してみせるからな」

♀「ふーん、それで…？」

♂「だからさ、いまの俺はかりそめの姿であって…」

♀「あっ、ねえねえ、それよりも今日の晩ごはんのおかず、サンマでいい？」

♂「……」

どこの国でも交わされていそうな会話である。では、これを採集狩猟生活時代の夫婦の話に直してみよう。

♂「いいか、俺は今度こそあのでっかいトナカイをしとめてやる。いまはこんな生活をしているけど、2、3日中には、絶対にしとめてみせるからな」

♀「ふーん、それで…？」

♂「だから、いまはこうやって準備をしているわけで…」

♀「でも、アンタ、今日食べるごはんはどうすんの。もう食べられるものは木の実しか残ってないのよ」

♂「……」

このように、熱っぽく将来の夢や理想を語っているというのに、急に現実的な話に引き戻されると、男はたぶん意気消沈してしまい、夢や希望がシューッとしぼんでしまうような気がすることだろう。いつの時代も男は理想を求め、おんなは現実に縛られるもの。おんなは男の夢やロマンを一応理解はできるが受け入れがたいのである。

✩女には「目の前のこと」しか見えない

それにしても、なぜおんなは、現実的なものを優先させるのだろうか。

その理由のひとつは、おんなが「産み・育てる性」だからだ。

子供を育てていくおんなは、常に目の前の現実を厳しく見据えなければならない。子供の様子をいつも注意深く観察していなければならないし、子供を飢えさせないようにいつも食糧の心配をしなくてはならないのだ。飢えから逃れるには、獲れるか獲れないか当てにならない獲物を待っているよりも、「目の前」になっている木の実を自分で集めたほうが手っ取り早い。男の語る夢がいくら魅力あるものであっても、夢でごはんは食べられないし、子供も育てられない。おんなにとっては、いつ実現するかわからないことの話よりも、「いま」という現実をどう過ごすかのほうがよっぽど大事なのだ。

だからおんなにとっては1年後の100万円を約束されるより、今日1万円もらったほうがうれしいのである。

おんなの脳は、もともと「いま、目の前のこと」に注意を向けるように設定されている。細かいことによく気がついたり、人をよく気遣ったりするのもこのためだ。特に、目の前に「実のなる木」という「すぐに役立てられる利益」が見えていると、その能力は存分に発揮される。たとえ木の実を集めるような単純作業でも、退屈もせずにせっせと取り組むことができるのだ。

しかし、逆に自分にとってどんな利益があるのかが、階段2、3歩先のところに見えていないと、おんなはなかなかコトを起こそうとしない。「いったい、それがなんの役に立つの？」ということになってしまうのだ。オフィスでの仕事などでもそうだが、おんなの社員は往々にして半径3メートル以内の範囲しか見えていないようなところがあって、しかも自分の目で見て納得したことしかやらない傾向がある。おいしい木の実が自分から見える範囲にないと、「期待感ホルモン」であるドーパミンがなかなか出ないようになっているのだ。

それに比べると、男は多少貧しくても、夢やロマンがあれば生きていける動物らしい。「いま」という現実がたとえ報われていなくても、「明日は山の向こうへ行ってでっかい獲物を獲ってやる」という希望や計画があれば、そのまだ見ぬ遠い先の利益のことを想像し、「期待感ホルモン」のドーパミンを活性化させることができる。だから、おんながやたらと飾りたてたがる家にしても男にとっては単に雨風がしのげればそれでいいらしい。

☆女は男の計画をぶち壊すもの

目の前のことしか見えない脳は、しばしばおんなを刹那《せつな》的行動に駆り立てる。よくおんなは「思いつき」で行動するといわれるが、その傾向はかなり強い。そして、男はその行動に振り回され、大いに悩まされる。

たとえば、こんな経験はないだろうか。

お盆休み、家族で田舎へ帰省する計画を立てたとしよう。交通手段は車。あなたは高速が混み始める時間、食事どきに立ち寄るプレイ・スポット、到着時間などを全部見越して万全の計画を練った。ところがその朝、妻は突然「そうだ！　おみやげを買うからデパートに寄って」などと言い出す。あなたには予定外の行動も、妻には当然のこと。時間を気にしながらもしぶしぶデパートに立ち寄ったことで、あなたの計画は狂い、渋滞に巻き込まれてしまう。あなたは不機嫌な表情を浮かべているが、妻は、何が悪いのかといった顔で、夫が不機嫌な理由さえ理解していない。それでいて「こんなに混むなら、何でもっと早く出なかったのよ」などと言われると、つい「お前のせいだろ！」と怒鳴ってしまう。それで楽しいはずの帰省旅行はすべて台無しに…。

このように、おんなはよく男の計画をぶち壊す。

狩りのプランにしろ、デートの段取りにしろ、男は「まず、あれをやって、次にこれをやって、その次はこうしよう」といったものごとを進めるスケジュールを、ほとんど妄想に近いくらいにふくらませている。しかし、近視眼的・現実的な発想になりやすいおんなは、その男の計画にかける思いを受け入れることができない。いつも罪のない言葉や予定外の行動によって、その夢を打ち砕いてしまう。

おんながしばしば刹那的、場当たり的な行動をとるのは、全体を見通した計画よりも、目の前に起こっている事態に対処することを優先するからだ。これはほとんど「私が今そうしたいんだから、そうしてどこが悪いの？」という発想である。たとえ先に進んでいる仕事でも、いい思いつきがあれば口を出さずにはいられない。どんなに家事が忙しくても、出先で気になる店を見つければチェックせずにいられない。それが火事であろうと、友人の不倫の現場であろうと、少しでも興味のある情報が目先を横切ると、鼻を突っ込もうとする衝動を抑えられないのだ。

おんなが何に対して鼻を突っ込むかはその時々の気分や思いつきで変わるから、その前では計画もへちまもあったものではない。だから、自分の頭のなかで用意周到に計画を練っていた男は、いつも思い通りにコトが進まないことに苛立《いらだ》ち、自分の大切な計画をすべて台無しにされたような気分に陥る。かといって、それをおんなに説明したところで無意味なことも承知している。それで、男は計画の狂いを立て直せないままムスッと黙りこくり、「不機嫌モード」に入ってしまうのだ。また、このとき、おんなには男が不機嫌になった理由がわからない。おそらく、自分の行動によって全体の見通しに影響が出るなんて思ってもいないだろう。そして、それは別に悪気でも何でもなく、ただ単に「目先のことしか見えていない」という理由によるものなのだ。

かくして、男には「おんなってやつは、どうしていつもこうなんだ！」という憤懣《ふんまん》がふくらみ、おんなには「この人はどうしてこうも不機嫌なんだろう」という不満がくすぶる。

お互い、見据えている着地点があまりに違いすぎるのだ。

☆道を選ぶのは男の役割

では、いったいどうすれば、こうした世界観の差が埋められるのだろうか。

これはもうお互いが歩み寄るしかない。

多くの男は長期的な展望に立ってものごとを計画したり、将来の利益を予測して準備を始めたりすることが得意だ。しかし、今の現実の状況を細かく把握するのが苦手で、ややもすれば現実から目を逸らそうとする。「森」を意識しすぎて目の前の「木」が見えなくなるのだ。

おんなは一般的に自分の見渡せる範囲にある現実を細かいところまで把握し、目の前の利益を生かすことが得意だ。しかし、長期的・全体的にものごとを見るのが苦手で、しばしば計画性に欠けた行動をとってしまう。目の前の「木」だけを見て「森」が見えないのだ。

だから、お互いの長所と短所を認め、互いの長所を生かすようにしていくのがベストなのだ。たとえば、男が長期的なビジョンに立った計画を担当し、おんなが現実のこまごまとした態勢を整えるようにして、お互いがその能力を発揮していけば、うまく歯車がかみ合って、その計画や夢が実現する道もグッと近くなるかもしれない。

結局道を選ぶことは男に課せられた役割なのだ。

空間把握能力に優れた男の脳は、適確な方向を見定め、それに向かって進んでいく決断力に長《た》けている。一方、おんなの脳は目の前のことにこだわり、そのため先に進むことを躊躇《ちゅうちょ》する。その道を行けばどこにたどり着くのかが予測できない。

特にいくつもの道がある場合、おんなはひとつの道を選ぶということができない。本来的に欲張りで「他の道」を捨てることができないから、分かれ道を前にどの道へ進んだらいいのか迷ってしまうのだ。だから、おんなの「選べない脳」には、男の「選べる力」がたいへん魅力的に映る。

男が進むべき道を決めてくれて、どんどんいい方向へと引っ張っていってくれるのであれば、おんなは大きな安心を得ることができるのだ。

決断力のある男がおんなに好かれるのはこのためだ。将来のことなど考えず、刹那的な生き方をしている男は、まず敬遠される。

なんだかんだ言っても、おんなとは「いつも迷っている自分」を、強引なくらいに引っ張っていってくれる存在を心の底で求めているものなのだ。だから、もしおんなが道を選ぶのに迷っているなら、男はその「脳力」を生かし、進むべき方向をしっかり指示してやるといい。

そして、そこにひとつアドバイスを加えるなら、その道のちょっと先のところに、「こんないいことがあるよ」という木の実をぶらさげるようにしておくことだ。見えるところにそうしたメリットがあれば、おんなはより安心してその道を進むことができることだろう。

第2章

女は悪魔か？それとも天使か？

恋愛・セックス・結婚…
「女の罠の科学」

❻ 女はなぜ、恐ろしいほどに男の浮気を嗅ぎつけるのか？

☆すべてはお見通し!?

オンナはとにかく細かいことによく気づく。

これはオンナの脳のほうが五感からよりたくさんの情報をインプットできるためだ。脳梁《のうりょう》という脳の連絡橋が太くできているために、観察や洞察に必要な五感の情報をより多く流せるのだ。

だから、オンナは目の前に起こっていることに対して、到底男なら気づかないような細かいことに注意を払い、しかるべき気配りや目配りをすることができる。また、その場の雰囲気の違いを敏感に察することもできるし、他人の言葉や表情の変化に対しても、その微妙なニュアンスの違いを逐一読み取ることができる。

ただ、男はこの「オンナの脳力」を、まだまだ甘くみているところがあるようだ。

たとえば、男の浮気。

④ ニオイとフェロモンをキャッチするセンサー

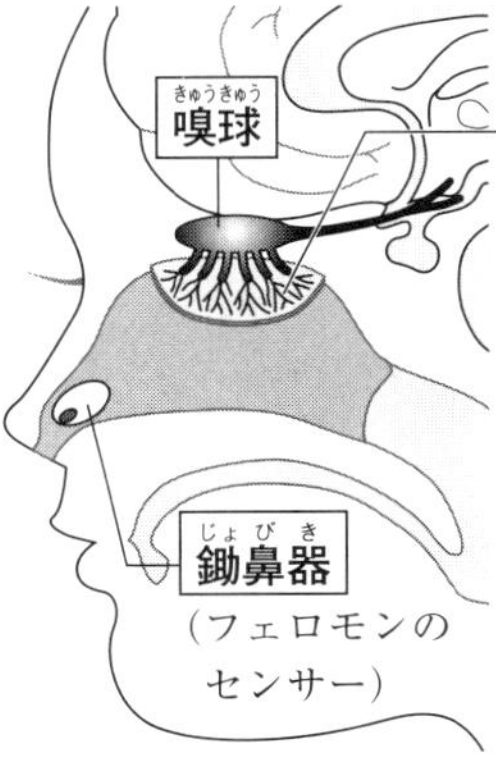

一般のニオイとフェロモンでは、キャッチされる場所も、その情報が送られる脳の場所も違う。一般のニオイを嗅ぎ分けているのは嗅上皮と嗅神経。フェロモンは鋤鼻器でキャッチされるが、ヒトの場合、このセンサー機能が退化する傾向にある。

あなたが妻に隠れて他のオンナと浮気をしたとしよう。当然、バレないように用意周到な「隠ぺい工作」をほどこすはずだ。遅くなった言い訳を考え、服装の乱れがないか、すみずみまでチェックし、妻へのおみやげを買って、「これで安心」とばかりに玄関の扉を開けるかもしれない。

でも、それは十中八九、ムダな努力になる。帰ってきたあなたを見て、妻は「ん、いつもと何かが違う…」と感じるだろう。あなたが漂わせている全体の雰囲気、あなたのしゃべる言葉の微妙な抑揚、あなたの目の下の筋肉の引きつり、めずらしくおみやげを買ってきたあなたの行動、そのすべてを読み取り、ふだんとの違いを嗅《か》ぎ分けて、「ん？ 何かヘンだわ。ひょっとして浮気でもしてきたのかしら」という考えに達する。

つまり、すべては読まれているのだ。

よく「オンナのカンは鋭い」といわれるが、これはたくさんの情報量を扱えて、その違いに気づくことができる「女脳」のたまもの。その「探知センサー」たるや、男からすれば空恐ろしくなるほどの高性能を備えている。とりわけ浮気を見抜くことにかけては、これはもう「女脳に与えられた特殊技能」といっていいだろう。だから、なんとかごまかしてその能力に太刀打ちしてやろうと画策しても、返り討ちにあうのが関の山なのである。

だが、それで驚いていてはいけない。もうひとつ、あなたがもっと空恐ろしくなる事実をお教えしよう。

オンナは、実はあなたが感じることができない「ニオイ」をも感じることができるのだ。

スウェーデンのカロリンスカ研究所が男とオンナのフェロモンについて行なった実験によれば、オンナが出しているある種のフェロモンは、オンナにしか感じることができないことがわかった。つまり、浮気相手のオンナがあなたに残したフェロモンを、あなた自身は感じることができず、妻はそれを「オンナのニオイだ」と嗅ぎ分けることができるというわけ。

オンナはオンナのニオイを嗅ぎ分ける恐るべき探知機能を備えているのだ。

この研究では男の出すある種のフェロモンが男にしか感じることができないこともわかっ

ている。だから、もし妻が浮気をしたならば、あなたはその背後に「男のニオイ」を感じることができるはずだ。だが、察知能力に乏しい男の脳にとっては、それはあまり意味を持たないかもしれない。おそらくは「まさか、そんなはずはない」と、その疑念を打ち消してしまうことだろう。

それくらい、男とオンナの「カンの鋭さ」には差があるのだ。

☆「なんとなく、そう思うの」で女はすべてを片づける

とにかく、オンナの「察知能力」の鋭さは、男の想像しうる範囲をはるかに超えている。もちろんそれは別に浮気を嗅ぎ分けるだけに限ったことではない。そのレーダー探知機が何かしらを捉《とら》える領域は、男があずかり知らない世界にまで及んでいるといっていい。よくオンナは「第六感」や「霊感」が優れているというし、巫女《みこ》やシャーマン、占い師などもほとんどがオンナだ。それもおそらく、共感する能力に優れ、敏感すぎるほどの察知機能を持つ女脳だからこそできることなのだろう。

しかし、不思議なことに、オンナはそのレーダー探知機が捉えたものを表現する「言葉」をあまり持たない。

たとえば、あなたは妻や彼女と次のような会話をした覚えはないだろうか。

♂「今度頼まれた仕事、聞いたことのない新しい業者なんだけど、とてもギャラがいいんだ。俺にしてみたらちょっとした賭《か》けだけど、やってみようと思ってる。君はどう思う？」
♀「うーん…やめといたほうがいいんじゃない？」
♂「え？　どうして？」
♀「なんとなく、そう思うの…」
♂「なんとなくじゃわからないよ。理由を言えよ、理由を！」
♀「だから、なんとなくだってば！　あなた、だまされやすいたちだから、なんとなくそう思っただけよ」
♂「それじゃ全然説明になってないだろ。ったく、オンナってやつは！」
♀「オンナだから何だっていうのよ！」

そう、とかくオンナは、「なんとなく、そう思うの」という言葉で、すべてを片づけてしまいがちなのだ。
おそらく、オンナは、その優れた直感と察知能力で「危険のニオイ」を嗅ぎ取っているのだろう。男のそれまでの失敗のパターンや聞いたことのない新しい業者であるということを総合的に分析し、「やめといたほうがいい」という結論をはじきだしたのかもしれない。しかし、オンナの脳にはそうした優れた情報キャッチ能力があるにもかかわらず、それを理論立てて説明する能力が伴わない。自分ではわかってはいても、それを説明する言葉が見つからないから、「なんとなく…」という言葉でまとめてしまうのだ。

これがオンナ同士の会話であれば、「なんとなく、こうでしょ」「そうそう、なんとなくそんな感じよね」といった具合に、不思議に通じ合ってしまう。男からすればチンプンカンプンの会話だろうが、オンナ同士であれば、その言葉だけでも微妙なニュアンスの違いを伝えることができるのだ。これは言ってみれば、「わかっちゃうから、別に表現しなくていい」という感覚。だから、根本的にオンナは「理由」や「根拠」を説明する必要をあまり感じていないのだ。最近、流行《はや》りの「ビミョー」というのもこの領域である。

しかし、男としては、すべてを「なんとなく…」で通されてはたまったものではない。先にも触れたように、男は何につけ「理由」を求める生き物だ。どんなときも論理的に解決したいという欲求が強く、「なぜなのか」「どうしてなのか」を聞かないと簡単には引き下がれない。このままでは、男とオンナの会話は永遠に擦れ違ってしまうだろう。

もちろん、オンナは「なんとなく」ではなく、その理由をわかるように説明する努力が必要だ。だが、解決策としては、男の側がオンナの「カン」に一目置くことだろう。オンナの

「なんとなく」の背景には、かなり鋭い直感や分析が働いている。ひょっとしたら自分には感じとれない貴重な情報を感じとっているのかもしれない。

だから、男はそうしたオンナの情報収集能力を自分のために役立てるように考えるといい。きっと、後々、いろいろな場面で助かることがでてくるはずだ。逆に、オンナの「なんとなく…」を甘くみていると、後になってから、「あのとき、やっぱり彼女の意見に従っておけばよかった」というような事態になることが少なくない。つまり、自分の身のためを考えても、その優れたカンを有効利用しない手はないということだ。

7 女は「許されない恋」にどうしてあこがれるのか？

☆恋愛は「音読」や「計算」よりも効果大

恋愛は脳を活性化する。

そもそも男とオンナの駆け引きは頭を使うものだが、恋を成就させるためにさまざまなホルモンが動員されて、脳の力を一段と引き出せるようにする。それが脳をより活動的にさせるのだ。なかでも、もっとも大きな役割を果たしているのがドーパミンである。

これは、前にも紹介したように、脳に快感や意欲をもたらすホルモンだ。恋をすると、このドーパミンが大きく活性化する。恋人に接するとき、ワクワク、ドキドキしたり、胸をときめかせたりするのもこれによる作用だ。

脳神経細胞には「プラスティシティ（可塑性）」という性質がある。これは新たな刺激が加わると、脳が神経回路を再構成していく能力である。

ドーパミンの「ワクワク、ドキドキ」感は脳の可塑性を刺激し、脳回路を前向きに成長させる力を伸ばすことがわかっている。つまり、恋をすることによって、脳回路がプラスに成長することになり、やる気や意欲を高め、何事も前向きに考えたり、行動したりすることができるようになるわけだ。よく、「恋をするとオンナはきれいになる」と言われるが、これも恋をすることによって、ドーパミンやエストロゲンなどのさまざまなホルモンが女の脳を刺激し、美しく輝かせるように働くためだ。最近は、音読や計算による脳の活性化がブームだが、それよりも恋をするほうが、手っ取り早く、しかもずっと効果が大きい。脳の活力をアップしたいなら、とにかく男もオンナも、自分の鼻先に新しい恋を見つけるとよい。

☆女は恋に命をかけられる

ただし、ドーパミンは、「たくさん出ればいい」というものではない。

出すぎると、さまざまな悪影響がもたらされる。幻覚や妄想もドーパミンが出すぎて脳の別の回路が作動してしまうことによって起こる。

さらにドーパミンは常に出ているとだんだんその感受性が鈍ってきて、同じ快感を得るのにもっと多くのドーパミンを必要とするようになってしまう。これが「ハマる」という危険を招くのだ。買い物依存症などもそのいい例だが、恋愛についてもこれは言える。

そして、オンナは特にハマる傾向が強い。

なにしろ、オンナは恋愛に命をかけられる生き物だ。

いつの時代も、人が全身全霊をかけ、自己存在を危くするものは、男は仕事、金、そして女。オンナは恋愛である。オンナは、ひとたび恋愛にのめり込むと、「それがすべて」になってしまい、後のことはどうでもよくなってしまうようなところがある。また、障害があればあるほど、より恋の炎を燃え上がらせてしまうようなところもある。脇目も振らず、ドーパミンを全開にしてのめり込んでしまうのだ。

欲しいのになかなか手に入らないという状況が続くと、ストレスや欲求不満がたまり、怒りや不安に深く関係するノルアドレナリンやアドレナリンなどが分泌されるようになる。すると、こうしたホルモンが末梢《まっしょう》の血流を悪化させ、顔色を悪くしたり、目の下にくまをつくったりする。思いつめることがかえって心身を擦り減らし、いわゆる「恋やつれ」のような状況を招いてしまうことになるのだ。

また、そもそも、ドーパミンをはじめとした恋愛感情に関係するホルモンには「麻薬」のように人をのめり込ませてしまう力がある。恋とは、なかなか手に入らないからこそ余計に燃えるものだ。そのハードルが高ければ高いほど激しい欲求を生み、その欲求が叶《かな》ったときに大きな快感をもたらす。その快感を知ってしまったら、脳は忘れようと思ってもなかなか忘れてくれない。それで、より激しい快感を求めてしまう。そして、いつしか、その欲望にとりつかれてしまうのだ。こうなったら、もう周りの状況も目に入らず、友人の忠告も耳に入らなくなってしまう。不倫などの「許されない恋」が燃え上がってしまうのにも、こうした理由があるわけだ。

☆「擬似恋愛」で脳を活性化

ところで、オンナたちは、こうした「許されない恋」に実はひそかにあこがれているものだ。運命にもてあそばれ、互いに思いを寄せながらもなかなか実らない恋――そんな恋がいつか自分の人生に起こることを無意識に求めている。そして、その身を焦がすほどの恋に自分の人生を捧《ささ》げてみたいという夢物語を大真面目に抱いているのである。

身を焦がす恋？　人生をかけたロマンス？　男はオンナのこうした「ヒロイン願望」を鼻で笑うかもしれない。そんな夢物語に自分を重ね合わせたところで、それが現実になる可能性はほとんどない。それはオンナもよく承知している。

だが、男は彼女や妻のこうした「物語」を否定したり、バカにしたりしてはいけない。なぜなら、オンナたちは、こうした架空の物語に想像をかきたてるだけでも十分に脳を活性化できるからだ。脳内のドーパミンは、小説や映画、テレビ・ドラマのラヴ・ストーリーに自分を重ね合わせるだけでも活性化されるのだ。妻や彼女が実際に不倫や浮気に走ったら

⑤ 人の心の動きに影響する主な脳内物質

物質名	作用	心の状態
ドーパミン	快感や欲求に関わり、人間の行動をリードする脳内物質。「快感ホルモン」、「期待感ホルモン」などとも呼ばれる。	わくわくする。やる気がみなぎる。スカッと快感。愉快な気分。好奇心、達成感、集中力。
セロトニン	感情を安定させる脳内物質。別名「癒しホルモン」。不足すると、落ち込みやうつ、イライラなどを招きやすい。	幸福感、安心感。充足感。ほのぼの気分。
ノルアドレナリン	脳の覚醒水準をアップする脳内物質。不安や怒り、緊張などにも深く関係している。	シャキッとする。覚醒する。闘争心、衝動性。緊張する。
ギャバ（GABA）	ニューロン（脳神経細胞）の興奮を鎮静する働きを持つ脳内物質。	落ち着く。リラックス。我慢。なんとかなるだろう気分。
β-エンドルフィン	感覚や痛みなどを麻痺させる脳内物質。別名「脳内麻薬」。	ハマりやすい快感。ハイになる。ハッピー気分。しびれる。

たいへんだが、架空の物語やバーチャルな物語によって脳を活性化してくれているならば、男にとって、それはかえって好都合なことではないのか。

その「擬似恋愛」によって、彼女たちはさまざまなホルモンを活性化させ、目をキラキラと輝かせ、肌や髪を若返らせることができる。脳の考え方も前向きになり、機嫌もよくなる。それなら、おおいに結構。どんどん擬似恋愛をしてもらおう。

古くは『ロミオとジュリエット』や『君の名は』、最近では『失楽園』や「冬のソナタ」。オンナたちが感情移入でき、目を輝かすことのできる恋物語はいくらでもある。最近オンナたちがよく話題にする韓国ドラマはそんなオンナの習性をよく心得て作られている。基本的に韓国のテレビ・ドラマはオンナが主人公であることが多い。韓国ドラマ5つの法則❶出生の秘密、❷父子の葛藤《かっとう》、❸難病、❹交通事故、❺四角関係は、「ありえない」と思っていてもオンナたちをハラハラドキドキ、ドーパミンいっぱいにさせ、擬似恋愛に引きずり込む強力な鎖といえよう。

さらにオンナを理解するのにおすすめなのは「少女マンガ」だ。『ベルサイユのばら（ベルばら）』でも『キャンディ・キャンディ』でもいい。少女マンガには、運命の出会い、失恋と涙、友情と裏切り、波乱の結末といった、オンナの脳を刺激するさまざまな要素が実に巧妙に織り込まれている。その物語のなかで自分が主人公となって擬似体験をすることで、オンナの脳は若返るのである。

読んでみれば、きっと男でも楽しめるはずだ。そして、「ははあ、オンナは心の底でこういう世界を望んでいるのか」と、勉強になること請け合いである。韓国で最高視聴率57パーセントを記録した人気ドラマ「宮廷女官チャングムの誓い」なんぞは前述の4要素がバッチリ盛り込まれている。このドラマの脚本家も少女マンガの作者もすべて女性である。だからオンナたちが共感できるのも当然なのである。

8 「愛は4年で終わる」というのは医学的には本当なのか？

☆「恋愛ホルモン」の作用は長続きしない

ひと昔前、『愛はなぜ終わるのか』という本が評判になった。著者は人類学者のヘレン・E・フィッシャー。「生物学的に見れば、人間の男女の愛は4年で終わるのが自然である」という説を唱え、物議をかもしたのである。

彼女は世界62の国と地域で離婚の調査をし、結婚後4年で離婚するカップルがもっとも多いことをつきとめた。この4年という期間はゴリラやオランウータンなどの類人猿がひとりめの子供を産んでから次の子供を産むまでのサイクルで、このサイクルは霊長類全般に染みついているというのである。

実は恋愛には、フェニール・エチル・アミン（PEA）という脳内物質が関係している。PEAは別名を「恋愛ホルモン」ともいい、恋に落ち、相手を好きで好きでしょうがないという気持ちをつくり出す麻薬様物質である。これが大量に分泌されはじめると寝ても覚めても恋人のことしか考えられなくなり、客観的にものごとを見ることができなくなる。周囲から「どうしてあんな人とつき合うの」といわれても聞く耳持たず、ますます夢中になる状態。それはPEAが〝恋の仕掛け人〟として快感や多幸感を生み出す麻薬だからである。要するに恋とは「麻薬中毒」と同じなのだ。

だが、このPEAの作用は、そう長続きはしない。だいたい2〜3年ほどで分泌量が減ってくるのが普通だ。そして、この恋愛ホルモンが分泌されなくなると、恋の熱は次第に冷めていき、お互いを冷静な目で見るようになる。当然、嫌なところや欠点も見えてくるだろう。それで、つき合いはじめてから3〜4年後には別れたり浮気をしたりするケースが増えてくるというのである。

やはり、人間の愛は4年で終わるのだろうか。

だが、恋愛に関わるホルモンは、PEAだけではない。

恋愛には、いくつかの段階があるが、その段階によって分泌されるホルモンも変わる。順を追って説明しよう。

まず、恋に落ちてPEAが活性化すると、それに伴い、ドーパミン、テストステロン、エストロゲン、オキシトシンといったホルモンが一斉に活性化する。そうしたホルモンの相乗効果で、相手と一緒にいたいという気持ちが高まったり、性欲が高まってますます相手を求めるようになったりする。これが第1の段階。恋愛がもっとも激しく燃え上がる時期だ。

次に第2の段階。2〜3年たって、PEAがだんだん分泌されなくなってくると、恋の熱はたしかに冷めてくる。だが、これに代わって増えてくるのがセロトニンというホルモンだ。これは、言わば脳に安心感や多幸感を与えるホルモン。長くつき合っている相手と一緒にいることで分泌が高まり、お互いを「やっぱりこの人といるのがいちばんいい」という気持ちにさせる働きがある。

つまり、PEAからセロトニンにシフトすることによって、恋愛の段階が「激しく燃える時期」から「愛を育《はぐく》む時期」に移行するのである。そして、恋愛を長続きさせるには、これをスムーズに移行させることが必要だと言えるだろう。

さらに、この「恋愛の段階」は、子供が産まれることによって「第3段階」を迎え、子供が自立し、世話がかからなくなったあたりで「第4段階」を迎えることになる。これについては、また後で説明をすることにしよう。

ともあれ、恋愛というものには、いくつかのステージがあり、それによって出るホルモンも違うし、とられる行動もまったく違ってくる。愛のかたちが変わるごとに、脳も変化をしているのである。だから、「人間の愛は4年で終わる」と言い切ってしまうのは、少々短絡的だと言えるだろう。たしかに3〜4年で危機が訪れるのは事実だが、それを乗り越えれば、また次の段階の愛が用意されている。そうやって、人間はその愛のステージに合わせて脳や体を変えていくように、うまくできているものなのである。

☆冷めかけた愛を長続きさせたいなら

ところで、PEAが減少してお互いの愛が冷めかけてきたとき、それを食い止めるために何かいい手段はないのだろうか。PEAはチョコレートに豊富に含まれているというが、だからといって相手にチョコレートをたくさん食べさせたところで、それが愛を長続きさせるという保証はない。

そこでいま注目されつつあるのがオキシトシンだ。これも恋に落ちると活性化するホルモンのひとつで、特に相手と触れ合いたいという「愛着」の感情を生むことが知られている。このオキシトシンの匂いに「人を信用させる作用」があることが、チューリヒの研究チームの実験で証明されたのだ。

この実験では、オキシトシンの鼻スプレーを嗅がせた人がより人を信用しやすくなることが明らかになっている。もし、このスプレーが商品化されれば、愛が冷めてきた相手への浮気予防効果はもちろん、選挙の票集めやセールスにも使えるかもしれない。

つまり、「愛が冷めてきた人には、シュッとひと吹きオキシトシン・スプレー！」なんていうCMがテレビで流れたりなんかして。いやいや、そんなことより、悪用される危険のほうが大きいから、やはり商品化は無理だろう。愛を長続きさせるために、そんな姑息な手段を使う男は、やっぱり捨てられるのがオチ。

9 女はなぜ、キスやセックスに愛情を求めたがるのか？

☆セックスは男の最終目的

「しょせん、体が目的だったのね」――。

たとえそれが冗談であっても、男は少なからず、この言葉にドキッとさせられるらしい。どうやら、この言葉は男の本心をズバリ言い当てているようだ。

オスの大目標は自分の遺伝子をできるだけたくさん残すこと。もっと言えば、生殖行為として射精することだ。そう。どうとりつくろったところで、射精をするのがオスの最終目的なのだ。

だから男は愛も恋もキスもすべて最終目的に向かって進んでいるプロセスにすぎない。男の恋はセックスに向かってまっしぐらだ。

しかも男は愛や恋などの感情がなかったとしても、セックスは可能だ。睡眠や食事といった行為と並列した本能的快楽行動のひとつなのだ。

だから男は風俗にいってまったく知らない人とセックスすることも可能なのである。

だが、オンナはそうはいかない。

オンナの性は、心が開かなければ体も開かないようにできている。

だからオンナの性は段階的だ。本当にその人が自分にだけしっかりと愛情を注いでくれるのかどうかを要所要所でしっかりチェックし、許す範囲はここまでよと釘を刺していく。相手の愛情を十分確かめた上で、この人なら安心して体を委《ゆだ》ねられると判断したときのみセックスを許す。

つまり先に愛や恋が必要なのだ。

つまり、男にとっては「セックス＝セックス」でも、オンナにとっては「セックス＝愛情の証《あかし》」なのである。

いったい、これはなぜなのだろう。

☆男の快感はドーパミン、女の快感はエンドルフィン

その解答の前に、男とオンナのセックスの違いについて少し触れておこう。だが、ここでは、オーガズムの高まり方の違いなど、学校の保健体育で習うようなことは、この際省くことにする。

まず、男とオンナではセックスに何を求めるのかだけでなく、どんなセックスを求めるのかという点でもだいぶ違いがある。

男がセックスに求めるものは年齢によって多少異なるらしい。若いうちはそれこそ射精さえできればそれでいいという、本当に動物的な欲求が先行するようだ。

しかし、次第に相手の反応や相手が満足しているかどうかのほうが重要になってくる。つまりオンナを「イカせる」ことが目的であり、それが男としての評価につながるのである。

したがって男にとっての最重要課題は自分のモノが立つかどうかである。男性の象徴が立たなければ、プライドも立たない。仕掛けるのは男であるから、男の支配欲、征服欲などが満足されるかどうかが重要なのだ。

「男が立つ」ことは実はオンナにとっても重要なことだ。

理由はふたつ。ひとつは男が立たないほど自分は魅力がないのかと、自信を失う。ふたつ目は男が立たないとどこか具合が悪いのではないかと男の健康が心配になる。男のエレクションは、身体的にも精神的にも微妙なバランスの上に成り立っているからだ。そういう意味で、ＥＤ（勃起不全）の治療薬であるバイアグラやレヴィトラはオンナにとっても救世主である。

これに対し、オンナは自分も相手もイクことができればそれに越したことはないが、必ずしもイカなくても構わない。オーガズムに達するよりも、セックスに至るまでのプロセスのほうを大事にし、挿入するかしないかに対してもそんなにこだわりはない。もちろん挿入できればその一体感はナニモノにも替えがたい。しかし、そのプロセスのなかで自分の快感欲求を満たすことができれば、長時間ベッドの上でイチャついているだけでもいいのだ。

特にオンナはパートナーとのスキンシップ行為に大きな安心を感じるものだ。これにはおそらく、エストロゲンやオキシトシンの作用が関係しているのだろう。両者とも女性ホルモンであり、「触れ合いたい」という欲求を高める作用がある。スキンシップを深めてこの欲求を満たすだけでも、オンナは結構満足できてしまうものなのだ。

さらに、男とオンナとでは、セックスによって得られる快感の質もだいぶ違う。

あえて脳科学的な表現を使えば、男の快感は「ドーパミン的」、オンナの快感は「β-エンドルフィン的」と言えるだろう。

男がセックスによって得るエクスタシーは「発射する快感」だ。別の言葉でたとえるなら「噴出」「突破」「フィニッシュ」「達成」などの表現ができるだろう。ドーパミンによる快感は、サッカーで見事なゴールを決めたときの高揚感だ。射精の際の強烈な快感もこれと同じである。

だから多くのスポーツの得点は「入れる」という行為による。サッカー、バスケットボール、ハンドボール、ゴルフ……。バレーボールだって「相手のコートにスパイクを突き刺す」という表現をする。ゴールの快感はセックスの快感と共通する。

これに対し、オンナがオーガズムに達したときに得るエクスタシーは「満たされる快感」だ。他にも「一体感」「多幸感」「包まれる感覚」といった言葉で表現できるかもしれない。また、「雲の上にフワフワフワと浮いているような感じ」「一杯になってあふれるような感覚」「どうでもよくなっちゃう感じ」といった表現をするオンナもいる。こうした快感は、β-エンドルフィンによってもたらされる刺激である。

β-エンドルフィンは、何かに満たされたとき、陶酔してしまうような麻薬的多幸感を脳にもたらすものなのだ。

☆セックスは男にとってはフィニッシュ、オンナにとってはスタート

あるスポーツ記者はこんなことを言っていた。「テレビでゴール・シーンばかり集めたフィルムを見せられても、まるでポルノ映画を見ているようですぐ飽きてしまう。なかなかゴールにたどりつかないそのプロセスこそが面白い。ラヴ・ストーリーがそうであるように」。

ちなみにこの記者は、「冬のソナタ」にもはまっていった。そういう意味では女性的な感覚

も持ち合わせている人だと思う。

さて、話を元に戻そう。

やはり、オンナはセックスに「愛」を必要とする生き物なのである。

なぜか――。

男のセックスは、射精して種を撒けば、そこでひとまず自分の役目を完了する。

しかし、オンナは反対だ。セックスをして種を撒かれた時点からスタートする。そこからその種を「育てる」という自分の役目がスタートするのだ。

つまり、男の場合は生殖すればそれで終わりだが、オンナの場合は生殖することが本当の始まり。男は終わりの時点で愛を失ってもたいして困らないが、オンナはその始まりの時点で愛を失うとはっきり言って困るのである。

オンナが自分に撒かれた種を芽生えさせ、大きく育んでいくという役目を遂行していくには、どうしても男の力が必要だ。人間以外の哺乳《ほにゅう》動物の場合、オスは生殖したらそれで終わり、メスはほとんどひとりで子育てをする。それは人間以外の哺乳動物の子供は生後まもなく立てるようになるし、自分から母親のオッパイを吸うことができるからだ。しかし、人間の赤ん坊はだっこして乳首を口にふくませてやらなければオッパイを吸えないし、立って歩くようになるのに1年はかかる。その間母親は子供に縛られて、エサをとりに行くなんてことはできない。だから人間のオンナにとっては、自分が子育てしている間、きちんとエサを取りに行ってしかも自分と子供の身の安全を確保してくれる男がどうしても必要なのだ。

したがって、オンナはセックスを理由にして男の愛情を試す。男のセックスやセックスにたどり着くまでの態度をしっかり観察し、本当に自分にふさわしい遺伝子の持ち主かどうか、セックスの後も自分に愛を注いでくれるかどうかを見極めているというわけだ。

このように、オンナにとっては、セックスと愛がセットでなければならない大きな理由があるのだ。

オンナは「受け止める性」。これは本来、精子を受け止めることによって「子宮を満たされる」ことから言われるようになった比喩《ひゆ》なのだが、オンナはそれに加えて、愛を受け止めることによって「心をも満たされたい」生き物なのである。

「発射したい男」と「満たされたいオンナ」。どちらにもいろいろ都合というものはある。だが、その都合や思惑が微妙にズレているからこそ、男とオンナはおもしろい。セックスとは、おそらくそのズレを埋め合わせるための究極の確認作業なのだろう。だから、そこでズレてしまうともうほとんど決定的。バイアグラが開発された理由のひとつはここにもある。

10 女が「したくなる時期」はいったい、いつなのか？

☆女の脳は性的興奮を高めにくい

もしも、オンナに男と同じくらいの性欲があったなら、人類は繁殖しすぎてとっくの昔に滅亡してしまっているだろうと言われる。

いったい、男とオンナとでは、それほどの性欲の差があるものなのだろうか。

性欲をつかさどる中枢は脳の視床下部にあるが、その性中枢のなかの性欲を生み出す神経細胞の塊は、男のほうがオンナの2倍も大きいとされる。だからといって、「男の性欲はオンナの2倍ある」というような単純な言い方はできないのだが、とにかく、男脳と女脳では性欲の占める領域にたいへん大きな違いがあるのだ。

このため、男の頭は、すぐに「したい」という欲求で一杯になる。これに対し、オンナにはいったい性欲があるのかないのかわからないようなところがある。そして、この「格差」のために、男はたいへん大きなガマンと努力を強いられているはずだ。

身近な例で言えば、ある男が満員電車で肌の露出度の高いオンナと体を密着させることになったとしよう。男がムラムラとしてしまうのは自然なこと。男は特に「視覚」から入ってくる情報で即座に興奮を高めてしまう傾向がある。その興奮を鎮めるのはなかなかたいへんな作業らしい。きっと、覚えのある人も多いのではないだろうか。

ところがオンナのほうは密着すればするほど嫌悪感が募る。まちがってもこんなところで性的興奮なんてことはありえない。相手に冷たい視線を投げつけるか、モソモソしてひたすら接触面積を少なくしようとする。しかし、だからこそ余計に男は困るだろう。その困惑顔を見て、「何よ、この人。ひょっとして痴漢?」などという疑いをかけられる男性もかわいそうである。

もちろん痴漢は大きな犯罪である。しかし、男脳と女脳とで性的興奮の高まり方にこうした大きな差があるのは厳然たる事実である。だからこそこの男女の脳の違いをきちんと考えたうえで対策を立てなければ、この犯罪を減らすことはできない。そういう意味で男女を接触させない女性専用車両の設置は間違っていない。

☆セックスの直後にテレビをつけるのは、やっぱり厳禁?

ともあれ、ここでは男にとっての大きな謎であろう——「オンナの性欲」について考えてみよう。いったいオンナの性欲は、どんなときに現れてくるものなのだろうか。

まず、男にとってわかりづらいのは、「ムード」を高めないと、なかなかオンナがその気にならないという点ではないだろうか。男はムードなどなくても、いつでもどこでもOKらしい。だが、オンナはそうはいかない。

その理由のひとつは、オンナの性欲が大脳を経由して高まるためだ。

そもそも、男女の「したい」という性的衝動をつくりだすのは男性ホルモンのテストステロンの働きだ。男のテストステロンはオンナの10〜20倍も多い。しかも、男の射精をしたときの快感記憶はかなり鮮明で強いらしい。それで、その快感をすぐ味わいたいがために、男は即座にテストステロンを全開にして一瞬のうちに「いつでもOK」という状態にできる。言わば、ホルモンの本能的な力に衝《つ》き動かされるわけだ。

繁殖期のカエルのオスなんぞは、カエルぐらいの大きさで動いているものなら、とりあえずなんでも飛びついて抱きついてみるという性質を持っている。他種のカエルだろうが、オスのカエルだろうが、ゴム長靴だろうがかまわない。なかにはメスと間違えて魚やサンショウウオに抱きついた例や、水の溜《たま》ったビニール袋をしきりに抱きしめていた例なども観察されているらしい。

人間の男はそこまですることはないけれど、なかには手当り次第という人もいる。そういえば空気のはいったビニールのようなものを抱きしめている人もいるらしい。しかし、オンナも本物と感触そっくりの、ジェルをブラジャーの下に忍ばせて男をだますのだから、どっちもどっちである。

オンナにもテストステロンはあるが、こちらはというと、すぐに「したい」という欲求を高められるほど多くはない。だから、するべきかするべきではないか、「する理由」を大脳でいろいろと考えてしまうのだ。もちろん、ムードも大切な条件のひとつ。つまり、オンナは性欲を高めるのに、ホルモンの本能的な力に加えて理性的に「考えること」を必要とする。

さらに、オンナがなかなかその気にならない大きな理由として、「安全性」を十分に確認しなければならないことも挙げられるだろう。

男にはセックスの最中も周辺の状況に注意を払う必要がある。だから、いつ敵が襲ってきても心と体をすぐに戦闘状態に切り替えられるようにできている。ところが、オンナにはそれができない。いざコトをはじめるとなれば、オンナはその体を無防備な状態にさらすことになる。セックス中、オンナは心も体もお留守の状態になり、周囲の状況などどうでもよくなってしまう。その最中に何かが起こっても急に切り替えがきかないし、ましてやオーガズムに達すると、筋肉が弛緩《しかん》した状態になり、立ち上がることもままならなくなってしまう。

だから、オンナは自分の身の安全のためにも、そう簡単にセックスのGOサインを出すわけにはいかない。その場所に他の男の目がないかどうか、そのシチュエーションに危険はないかどうかを、事前にしっかりと確認しておく必要がある。オンナは安心に行き着くまでに時間がかかるのである。

ちなみに、オンナはセックスを始めるのにも時間がかかるが、元の状態に戻るのにも時間がかかる。セックスの後、そのほとぼりが冷めるのに時間がかかるのは、快感の余韻にひたってしばらく安静にしていたほうが精子が子宮の奥に入りやすいからだと思う。妊娠を望むなら、本当はセックス後1時間くらい横になっていたほうがいい。男のセックスは射精をして種を撒けばそれでオシマイだが、オンナにとっては、その種を体の奥底までしっかりと届けるところまでがセックスなのだ。

だからオンナは、射精後、男の対応が不誠実だとよく怒る。射精の後、「ああ、スッキリした」とばかりに自分だけそそくさと服を着てしまったり、射精したと思ったらすぐにテレビをつけてしまったり…あなたも不満を言われたり怒られたりした経験があるのではないだろうか。

射精した後でも、じっと抱いて無防備なオンナを安心させてほしいのである。β-エンドルフィンの幸せはひとりで味わうにはもったいなさすぎる。できればふたりで味わいたいとオンナは願っている。なぜなら、それを与えてくれたのは、他ならぬ男なのだから。

☆女の性欲を高める方法は？

さて、オンナの性欲や性行動を語るうえで、もうひとつ忘れてならないのが女性ホルモンのエストロゲンの影響だ。性欲をつくるのはテストステロンだが、オンナの性欲により大きな影響を及ぼしているのはエストロゲンだといっていい。

オンナの脳と体は、エストロゲンとプロゲステロンというふたつの女性ホルモンがつくる生理周期に大きく影響される。これについては次の章で詳しく述べるが、オンナの性欲もこの周期によって大きく変化するものなのだ。エストロゲンが優位になる時期には、心身の機能も美しさも高まり、男を受け入れる態勢が整う。これと同時に性欲も高まるのだ。これに対し、プロゲステロンが優位になる時期には、体がむくんできて、体の動きも心の働きも鈍くなってくる。性欲も落ちてオンナはあまり男を受け入れようとしなくなる。プロゲステロンには性衝動を打ち消す作用も確認されている。

つまり、オンナの性欲は、エストロゲンによってアクセルがかかり、プロゲステロンによってブレーキがかかるというわけだ。エストロゲンの分泌がピークに達するのは排卵前。もっとも妊娠しやすい時期だ。この時期、オンナの性欲はピークに達し、無意識のうちに肌の露出を高めたり、男を意識した行動をとったりする。もちろん個人差はあるし、なかには生理中に性欲が高まるオンナもいるし、黄体期の気持ちが若干沈んでいるときのほうが男が恋しくなる人もいる。だが、生物学的な見地からいえば、このエストロゲンが高まる時期が、オンナを口説くのにはいちばん適しているといえるだろう。

しかし、残念ながら、男はそうそう運良く「オンナがしたくなる時期」に遭遇するものではない。その場合には意識的にエストロゲンを高めるという手もある。最近話題の大豆イソフラボンにはエストロゲン様作用があり、更年期障害だけでなく、月経前緊張症の緩和にも使用されている。エストロゲンはドーパミン神経とセロトニン神経の両方を作動させる働きがあるからである。

もうひとつオンナの性欲を高めるには、おいしい物を食べさせて満足させることである。実は食欲の中枢と性欲の中枢は脳のなかのたいへん近い場所にあって連動していることが最近わかってきた。ゴリラのオスの空腹中枢を刺激すると、マウンティング（メスの上に乗って生殖行為をする）が起きる。これに対してメスのゴリラは空腹中枢を刺激しても何も起きない。逆に満腹中枢を刺激するとお尻《しり》を向ける。これを解釈すると、オスは飢餓状態になると自分が死ぬかもしれないから子孫を残そうとする。メスは自分が飢えていたら子供を孕《はら》むどころではない。お腹一杯食べて栄養状態がよくなってはじめて生殖行為に到る。これは某学者の推測であるがなんとなく納得がいく。

11 なぜ、子供ができると子供にしか目を向けなくなるのか?

☆「出産前」と「出産後」ではまるで別人

結婚をしてもオンナはそう変わるものではない。

だが、結婚後、妊娠して子供を産むと、オンナは大きく変貌《へんぼう》する。

それまでの結婚生活で常に男に熱い愛を要求していたオンナが、子供が産まれたとたんに男に見向きもしなくなる。子供の世話でそれどころではなくなり、心身のリズムも生活のリズムも一気に「子供中心モード」に切り替わる。また、男は男で、そうしたオンナの変化に内心とまどいながらも、子供の泣き声に気圧《けお》されるように、少しずつ育児モードになっていく。

そう、妊娠・出産を期に、男とオンナの「恋愛の段階」は第3段階に突入するのだ。この時期、男とオンナはふたりの愛だけではなく、「子供」という存在を協力して育んでいかねばならない。そして、この段階は子供に手がかからなくなり、親の手を離れるまで続く。

それにしても、オンナは「出産前」と「出産後」で、まるで別人のように変化することは珍しくない。いったいなぜ、このような大変化を遂げることができるのだろうか。

☆哺乳類は授乳によって愛を育てる

この「オンナの大変化」に大きな影響を及ぼしているのがホルモンだ。

妊娠・出産というオンナにとっての一大イベントをスムーズに遂行するため、オンナの脳と体ではホルモン編成の大改変事業が行なわれる。

順を追ってその変化を説明することにしよう。

妊娠が成立すると、エストロゲンとプロゲステロンというふたつの女性ホルモンが、ここぞとばかりに大量に分泌されるようになる。エストロゲンは妊娠中の子宮や胎児の発育を助け、乳腺《にゅうせん》の成長も促す。プロゲステロンも子宮の壁を厚く柔らかくしたり免疫を整えたりと大車輪の働きをする。

そして、妊娠してしばらくすると、この両者は次第に胎盤から分泌されるようになり、着々と出産の準備を進めていく。一方、妊娠後期になると、出産時の痛みに備えてβ-エンドルフィンの分泌も活発になる。β-エンドルフィンは、モルヒネ様物質で痛みを緩和させる天然の麻薬である。そして、オキシトシンやプロラクチンなどの母乳を分泌するために重要なホルモンも徐々に高まっていく。

そして、これらの準備がすべて整ったところで陣痛が起き、分娩《ぶんべん》が行なわれる。このメイン・イベントを済ませると、β-エンドルフィンの分泌は急落する。これによって妊娠後期の安定した気分が急に落ち、その変動の大きさについていけずにマタニティ・ブルーに陥る場合もある。出産後、さらに活発になるのは、オキシトシンとプロラクチンだ。この両者は新生児が乳房に吸いつくのに刺激されて、乳汁を分泌させるよう働きかける。

先に紹介したように、オキシトシンには「愛着」を強める作用があるが、これには母と子の強い結びつきを深めることもわかっている。人間ばかりでなく哺乳動物のメスが妊娠中や授乳中に激しい保護・執着行動を見せるのは、このオキシトシンの作用であり、逆に言うとそれがないと子供は生きていけないから、遺伝子のなかに組み込まれているのである。授乳はオンナにとって「至福の時」である。授乳ほどこの世に自分が存在する意味を確信する行為は他にはない。乳を与える動物はすべて、乳を吸われることによって、どんどん子供への「愛」をふくらませていくようにできている。

プロラクチンも乳汁の産生に深く関わっているホルモンだが、これにはオンナの性欲を減退させる作用がある。授乳中は子供のことで精一杯で、とてもセックスのことなど考える余裕がなくなるものだし、体力面を考えても、この時期のオンナはできればセックスを避け、再び妊娠することを避けたい。そのための交通整理をも、このプロラクチンが行なっているわけだ。だから、オンナが授乳している時期は、男のほうからセックスを求めても、オンナにめんどうがられることが多くなる。ちなみにプロラクチンは男の性欲も減退させる。副作用としてプロラクチンの増える薬がいくつかあるが、これを長期服用するとエレクション(勃起)しなくなる。

どうだろう。このように、オンナは妊娠・出産を通して、男にはちょっと信じられないくらいの劇的変化を遂げるものなのだ。夫のことなどどうでもよくなるくらいに子供にしか目が行かなくなるのも、こうしたホルモンの大改変事業が行なわれ、オンナの脳と体が「子供中心モード」にシフトされるからなのである。実はそうしなければならないほど育児とは大変な作業なのである。赤ん坊が泣いていてもそっちのけで「セックス」なんてことになったら、赤ん坊は死んでしまうかもしれない。

動物は進化するに従ってその育児期間は長くなる。爬虫類《はちゅうるい》以下はワニなど一部を除いてはっきり言って産み放し。鳥類になると、一応卵を暖めてヒナをかえす。ツバメの寿命は7年程度で、1年に2〜3回繁殖する。1回に通常5個産卵し、13〜15日で孵化《ふか》、孵化後17〜22日で巣立つ。つまり育児期間は30〜37日というわけである。生後1カ月で親離れしてしまうのだから、またすぐに交尾してもおかしくない。

☆女は子供を産んで脱皮する

ちなみに、プロラクチンとはなかなかおもしろいホルモンで、両生類の変態を促したり、爬虫類の脱皮を促したり、はたまた、鳥の「渡り」や「巣ごもり」を促したりすることもわかっている。つまり、おたまじゃくしに足が生えてカエルになるのもヘビが脱皮をするのもプロラクチンの力によるもの。おそらく、生き物の本能に深く根ざし、生き物が変わろうとするときに必要な力を出すホルモンなのだろう。

少々非科学的な言い方ではあるが、そういう点からすると、オンナもプロラクチンによって脱皮をするようなものなのかもしれない。子を産み、乳を与えることによって、オンナはそれまでの自分の皮を脱ぎ捨て、新たなオンナになるのだ。

それがどう変わるかはわからない。それまでおとなしかったオンナが子供を産んでから「肝っ玉母さん」のように活発になることもあるし、それまでファッション誌を切り抜いたような気取ったオンナだったのが出産を期におしゃれなどまったく気にしなくなったり、はたまたまったくスポーツに興味のなかったオンナがすっかりグラウンド・ママになったり。ともあれ、妊娠・出産という大事業を乗り越えると、オンナは良くも悪くも「ひと皮むける」ものなのだ。

だから、これに合わせて男も変わらなければならない。

いや、たいていは、自然に変わっていくものだ。それまで毎晩飲み歩いていた男も、子供が産まれれば毎晩子供の顔を見に帰るようになり、それまでフラフラしていた男も、子供のため、妻のために生活を支えていかなければという強い自覚を持つようになる。

そういえば、プロ野球などのスポーツ選手には、自分に子供が産まれると、急に成績が上ったり、引退をささやかれていた選手が子供に勇姿を見せたくて他球団に移籍して新たな才能を開花させたりすることもある。おそらく、子供が産まれたときというのは、男にとっても「脱皮」をするいいチャンスなのであろう。

12 女はなぜ、みんなして「ヨンさま」にハマるのか?

☆女たちの〝生き直し作業〟

「冬のソナタ」の放映以来、日本では空前の韓流ブームが続いている。「ヨンさま」ことペ・ヨンジュンの人気も一向に衰える兆しがない。

おそらく、あなたの身近にも「冬ソナ」や「ヨンさま」にハマっているオンナが少なくないのではないだろうか。このように「冬ソナ」をはじめとした韓流ドラマのとりこになってしまう現象を私は「冬ソナ症候群」と名付けた。

この症候群にハマるのは、その多くが中年女性で、それも40代、50代の主婦層が中心だ。子供もようやく独立し、親の手を離れたくらいの年ごろではなかろうか。それにしても、この世代のオンナたちは、なぜ今さらのように恋愛ドラマなどに夢中になるのだろう。

その理由は、彼女たちが「青春」を取り戻したがっているためだ。

40代、50代になると、オンナはそれまで自分を縛っていた「子育て」という仕事から解放される。そして、母親からひとりのオンナへと戻ったとき、「自分はこのまま老いていくだけでいいのだろうか」という疑問に、はたとぶつかるのだ。オンナたちには「もうちょっと何かをやれそうな力」がまだまだ残っている。それで、「今なら〝第2の青春〟を生きられる」という気になる。若いころ、やろうと思っていたのにできなかったことや、ずっとやってみたいと思っていたのに時間がなくてできなかったことを試してみたくなるのだ。それは、今まで生きられなかった「もうひとりの自分」を生きるための、オンナたちの〝生き直し作業〟だといっていいだろう。

また、オンナたちが取り戻そうとするのは、自分の夢や目標だけではない。「恋愛」もそうだ。今まで捨ててきたもうひとりの自分を生きるということは、もうひとりの自分が得られたかもしれない「別の恋」を見つけようという意欲にもつながる。だから、今まで良妻賢母を通してきたオンナが急に「なんであの人と…」という相手と浮気をしたり、ずっと亭主につくしてきたオンナが急に反抗的な態度をとったりということも多くなる。この時期、急に離婚をする熟年の夫婦が増えるのはこのためだ。

つまり、この時期、男とオンナの「恋愛の段階」は第4のステージを迎える。そして、これはPEAが低下して熱愛が冷めてくる時期を「第1の危機」とするなら、「第2の危機」

と言うことができるだろう。このように中年期になって急に訪れる夫婦の危機を、医学や心理学では「ミドルエイジ・クライシス」、つまり「中年の危機」と呼んでいる。

ちなみに、このミドルエイジ・クライシスが起こるのにも、やはりオンナのホルモンの変化が影響している。中年期になると、オンナはエストロゲンのレベルが徐々に下がり、これとともにエストロゲンと深い関係にあるセロトニンの分泌も下降してくる。先にも述べたように、セロトニンは心を落ち着かせ、安定させるように働く抑制系のホルモンだ。このセロトニンが減ってくると心が不安定になる。オンナたちは少々毛の薄くなった自分の亭主を見て、「こんなはずじゃなかった」と現実に対して否定的になったり、鏡に写る目尻のしわを見て「いつのまにか年をとってしまった」と悲しくなる。そして「自分の人生はこれでいいのだろうか」と不安になり、「このままでは終われない。今のうちにもうひと花咲かせたい」という焦燥感にかられるのだ。

☆女がクライシスを乗り切る鍵は？

では、こうした中年期に訪れる危機を乗り越えるにはどうしたらいいのだろう。

その鍵《かぎ》は、ドーパミンにある。平たく言えば、「ときめき」を感じることだ。

母親からひとりのオンナに戻った中年女性たちは、皆「ときめき」を求めている。特に、それを切実に訴えるのは主婦だ。主婦の仕事は単調で、毎日毎日、やってもやっても終わらない同じ作業を繰り返すだけ。そんな日常から自分を「別世界」へ連れ出してくれるような「夢中になれること」を求めている。

もう、みなさんおわかりだろう。

そう。「冬ソナ」に彼女たちが夢中になるのは、そんな「ときめきたい」という思いを、このドラマが存分に満たしてくれるからなのだ。「冬ソナ症候群」にハマったオンナたちは、皆一様に目を輝かせ、ドラマのヒロインに自分を重ね合わせる。そして、擬似恋愛をしてときめきを感じることによってドーパミンを活性化しているのだ。

前にも触れたように、こうしたドーパミンの快感刺激には、脳回路を前向きに成長させる力がある。それまでメカ・オンチだった妻がＤＶＤプレイヤーを操作し、キーボード・アレルギーだったオンナがパソコンでチャットを始め、海外に行ったことがない中年女性が韓国語を習い、友達と韓国旅行に行くこともできるようになるのである。ドーパミンによって脳細胞が増え、脳細胞から出ている樹状突起がどんどん伸びていって神経の伝達がよくなったのだ。こうした脳細胞の成長によってオンナはたとえ単調な日常でもそれを前向きに捉えることができるようになる。すなわち、ときめきを見つけてドーパミンを活性化することが、オンナの心をより安定させ積極的にさせる。たとえ自分の生き方に疑問を感じ、心が大きく揺れたとしてもそれを引き戻せる力がつくのだ。そして、その安定感がミドルエイジ・クライシスという関門を無事に切り抜けることにつながるというわけだ。

つまり、「冬ソナ」でも「氷川きよし」でも「クライシス」でも「マッケン」でもいい、オンナたちがそうしたときめく対象を求めるのは、それが「クライシス」を乗り越えるために生理的に必要だからなのだ。主婦たちは、こうした対象に夢中になることによって日常を抜け出し、十二分に心をときめかせた後、また再び日常に戻る——そのバランスをとることによって、無意識のうちに更年期前後の感情の振幅の大きい時期を乗り切ろうとしているのかもしれない。そういう意味では、実に賢い選択をしていると言えるだろう。

だから、あなたは、ペ・ヨンジュンに熱を上げている妻に対して、「ヨンさま？　いったい、あんなヤサ男のどこがいいんだ」などという言葉を口にしてはいけない。そのときめきを否定したことで、本当に夫婦の危機を迎えたりしたらコトだ。

それに、もしまだあなたが「冬ソナ」を観ていないのなら、ぜひ一度観ておくことをおすすめする。あの物語には、オンナが男に何を求めているか、オンナが男にどうされれば喜ぶのかというツボが、実に巧妙に盛り込まれている。きっと、オンナの目を輝かせるためのヒントをたくさん発見することができるはずだ。

第3章

男と女はやっぱり別の生き物!?

男には理解できない
「女の体のフシギ」

13 「花の命は短い」にもかかわらず、女はなぜ、長生きするのか？

✩女を理解するには避けて通れない問題

女はリズムとバランスで動く生き物である。

そもそも脳や体は、常に一定の力を出すために、リズムとバランスをとりながら動いているものだ。あまりにひとつのことに偏りすぎると、どこか他の部分に必ずしわ寄せが出て、いつも通りの力を出せなくなる。だから、「ホメオスタシス」（恒常性）といって、ホルモンや自律神経、免疫などの具合を調整し、いつも変わらずに安定した力を発揮できるコントロール・システムがうまく作動するようにできている。

もちろんこれは男女に共通して言えることだ。だが、あえて比較をすれば、女のほうがそのリズムとバランスをより崩しやすくできている。生理周期によってホルモンの分泌状態が大きく変化するために、女はちょっとしたことでバランスを失いやすい。「いつも一定の力を発揮する」ということは、変化の波の大きい女にとっては結構たいへんなことなのだ。だから、女は特にリズムとバランスをより大切にした毎日を送らなければならない。そして、そうやってホメオスタシスを保ち、いつも安定した力を発揮してこそ、女は自らを美しく輝かせることができる。

この章では、こうした不安定なバランスの上に成り立っている女の体の不思議について目を向けていくことにしよう。「女ってやつは、どうしていつもこうなんだ!」と言いたくなる言動にも、その体のメカニズムを知れば、「はあ、そうだったのか…」と納得できる理由があることが少なくない。

特に、女の生理や女性ホルモンについては、女を理解するには避けて通れない問題だ。この問題は、男にはわかろうにもわかることができない「壁」かもしれない。しかし、その壁を越えることはできなくとも、壁の大きさや厚さを知ることはできる。それを「知っている」ということが、お互いの距離を縮めるために大切なのだ。

✿女を美しくし、男を惑わせるホルモンとは?

男と女の違いを決定するのは「ホルモン」だといっていい。

まだ性別のわからない胎児のとき、男性ホルモンのシャワーを浴びた胎児は男となり、浴びなかった胎児は女となる。そして、男性ホルモンを浴びた男の脳は、生存競争に打ち克って多くの子孫を残せるよう、より攻撃的にプログラムされる。また、男性ホルモンを浴びなかった女の脳は、女性ホルモンの支配下に入り、後々、月経周期をつくり、子供を産むことができるようプログラムされる。

女性ホルモンは、女を女たらしめているホルモンだ。だから、男が女を理解するには、このホルモンがどんな影響を及ぼしているのかを知らねばならない。

なかでも、もっとも大きな影響力を持つ女性ホルモンがエストロゲンである。ここでは、このエストロゲンについて、少し詳しく説明することにしよう。

エストロゲンは、女らしい美しさをつくる原動力となるホルモンだ。つまり、女が丸みを帯びたプロポーションをしているのも、肌が柔らかくみずみずしいのも、髪にハリがあってつややかなのも、すべてはエストロゲンのおかげだといっていい。エストロゲンは女が初潮を迎えるころから急増し、脳に働いて排卵を促すようになる。そして、生理周期のある間、周期的に排卵を促し続け、閉経後に分泌が急低下する。閉経後、エストロゲンの影響力のなくなった肌や髪からは急速にハリやうるおいが失《う》せ、シワやカサつきが増えていく。

つまり、エストロゲンは、女が受胎可能な時期、排卵時期に合わせて女を魅力的に輝かせ、それによって男を惹《ひ》きつけようとするホルモンなのだ。

⑥ エストロゲン分泌量の年齢による変化

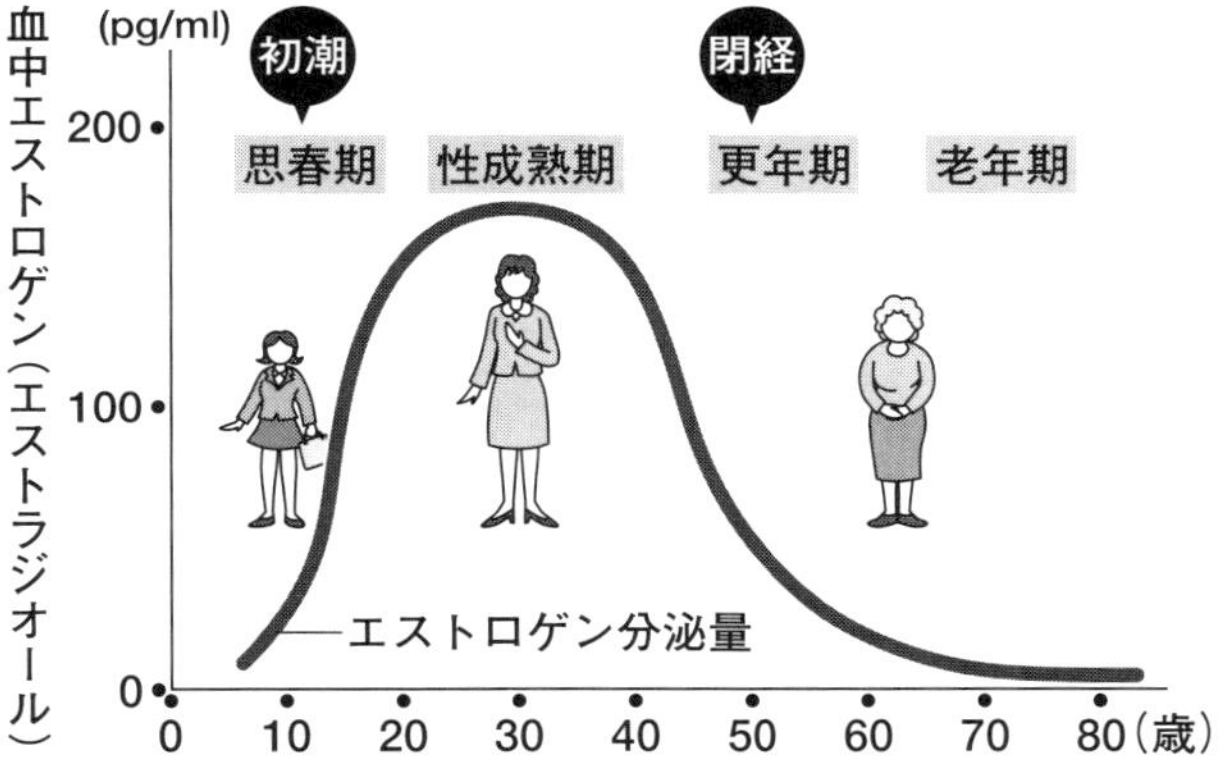

先に述べたように、エストロゲンは女の性欲にも関係していて、排卵前、エストロゲンの分泌が高まるにつれ、女は性的興奮をもよおしやすくなる。美しさと魅力を高め、排卵準備を整え、そのうえ性欲まで引き上げて、女を「さあ、これで妊娠の受け入れ準備も万端。オスさんたち、どうぞいらっしゃい」という状態にセッティングするわけだ。

すなわちエストロゲンは、まさに男を惹きつける吸引力の源泉。そして、オスたちはその美しさと魅力に惑わされ、われ先にと群がっていく。その意味では、エストロゲンは、女はもちろん、男までをも操っていると言えるのかもしれない。

エストロゲンが女に対して及ぼす影響はそれだけではない。

たとえば女の健康面。

女が受胎し、子供を産み育てるには、それに耐えうるだけの体の力がなくてはならない。エストロゲンは、そのために女の骨や血管、筋肉を強くするのにも関係している。特にカルシウムやコレステロールの代謝に重要な働きをしていて、閉経後、骨がもろくなる骨粗鬆症《こつそしょうしょう》になったり、余分なコレステロールが増える高脂血症になったりする女が増えるのもエストロゲンの低下が原因だ。

もちろん、脳に対する影響も少なくない。エストロゲンは、記憶の中枢である海馬に働きかけて記憶力などの認知機能をアップさせることがわかっている。特に短期記憶の能力がアップするので、女はエストロゲンがピークに達する排卵前にテストなどを受ければ、暗記能力などをより発揮できることになる。だから女は恋をすると、エストロゲンが大量に放出されて格段に記憶力がよくなる。初めてのデートで何を食べたかどんな話をしたか、そのときの夜景はどうだったとか何を着ていたとか、ほとんどの女は憶《おぼ》えている。男はまず憶えていない。

「あのときそう言ったでしょ」とせまられても男は「そんなこと言ったっけ」と反応するしかない、本当に「記憶にございません」状態なのだ。

またエストロゲンは、アセチルコリンという脳内神経伝達物質の働きも高める。アセチルコリンは認知や記憶など、脳の情報処理にかかわる大切な物質で、脳の切れ味をよくする。アセチルコリンの減少は、アルツハイマー病の原因のひとつと考えられている。したがってアルツハイマー病は閉経後に発生しやすい。

このようにエストロゲンは生理周期がある間、ずっと女の能力を支えているのだ。だから、更年期になり、エストロゲンの分泌が急低下すると、女の脳は大混乱を起こす。先に述べた「ホメオスタシス」が崩れ、微妙な均衡の上で成り立っていた自律神経や免疫のバランスも大きく崩れることになる。それで更年期になると、めまい、頭痛、ほてり、発汗、動悸《どうき》、吐き気といったさまざまな自律神経失調症状に悩まされ、記憶力や集中力が落ち精神的にもうつや落ち込みを訴えることが多くなるのだ。

さらに、一般に女は男よりも長生きなものだが、これにもエストロゲンが影響している。米国で行なわれた実験によれば、脳の神経細胞の減り方は男よりも女のほうが遅いことがわかっている。これにエストロゲンが影響しているのではないかと取り沙汰《ざた》されているのだ。エストロゲンには前述した理由からアルツハイマー病を予防する効果があることでも知られ、また、動脈硬化を防いで脳や心臓の血管を丈夫に保つ効果もある。おそらく、こうした作用も女の脳を丈夫で長持ちさせる理由になっているのだろう。

✩女の一生はエストロゲンに支配されている

このように、エストロゲンは女の人生に深く関わっている。

女が美しく輝くのも、子供を産むことができるのも、それを育てる体力があるのも、みんなエストロゲンのおかげ。よく、「花の命は短い」と言われるが、エストロゲンは花を美しく咲かせ、受粉するための力を生む。そして、花が散った後も、実を育て、大きく成熟させるために力を貸してくれるというわけだ。

その意味で、女の一生はエストロゲンというホルモンにコントロールされているといっていい。つまり、すべてはエストロゲンという「指揮者」がいてこそ演じられている曲目なのだ。

女がその輝きを増すのも、その輝きを失うのも、すべてはエストロゲン次第。エストロゲンがご機嫌で脳や体に指図を与えていれば、女はいっそう美しく咲き誇る。あなたがどんなに支配欲の強い男でも、この「指揮者」には逆らうことができない。むしろ、この「指揮者」の目指す意図を知り、惜しまず協力するほうが賢明だ。

14 女はなぜ、生理になると、何もできなくなるのか?

☆どんよりした梅雨が快晴に

生理の痛みは、男にはわかれといってもわからない。

あえて言葉で説明しようとするなら、腹のなかで内臓がギューッと収縮するような痛みである。

痛みの程度は人によりさまざまだ。薬を飲まなくても十分ガマンできる鈍痛で済む人もいれば、救急車を呼ぶほどの激しい痛みに襲われる人もいる。

ともかく、女にとってはしんどい痛みだ。人にもよるが、たいていの女は、生理前や生理中になるとその能力が著しくダウンする。ところが、男にはその「落差」がわからない。まあ、わからなくて当然だ。で、女のほうは「私はこんなにつらいのに、どうしてわかってくれないの」ということになり、無用なあつれきや誤解を招くことになる。

では、そうした擦れ違いを防ぐために、生理時とそれ以外のときでどれほどの落差があるのかを、なるべく男にとってわかりやすく説明してみよう。

まず、頭のなかのクリアさが違う。生理前や生理中、頭のなかはどんより曇った梅雨空のようだ。何かを積極的にやろうとか、仕事をがんばろうといった気持ちとはおよそ程遠く、「何もせずにボーッとしていたい」「早く家に帰って横になりたい」という気分になる。体はだるく、鉛が入ったように重い。頭は痛いし、肩はこる。肌には吹き出物やニキビ、化粧のノリも悪い。生理痛がひどい日には気分は最悪だ。もう、どしゃぶりの雨のなか、ぬかるみにハマって1歩も前へ進めないような気持ちになる。

そうした状況になると、当然ながらイライラもする。何をしても集中できず、ミスが多くなるので、それがまた、イライラに拍車をかける。当然、能率は落ちる。ひどい人になると自分を自分でうまくコントロールできなくなり、感情の起伏が激しくなったり、ちょっとしたことで深く落ち込んだりする。こんなとき「男はいいなあ、生理がなくて。いつも一定の体調でいられて体の心配なんてしなくていいし」と恨めしく思ってしまう。そして、仕事や家事も手につかなくなってしまう。

ところが――。

生理が終わると、それまで厚い雨雲に覆われていた空がだんだんと晴れてくる。まるで梅雨明けのように、キラキラと輝く明るい日差しが射してくる。頭のなかがスッキリと澄みわたり、頭のキレや回転もよくなって、言葉が次から次にポンポンと出てくる。肌も髪も快調。化粧のノリもよし。体もパッパッとよく動く。そして、自然に「さあ今日も仕事をがんばろう」とか「何か新しいことにチャレンジしてみよう」という意欲が湧いてくる。

どうだろう。生理に悩まされているときと生理が終わった後では、これくらい大きな「落差」があり、たいていの女は、それを当たり前のこととして過ごしているものなのだ。少しはその苦労をわかっていただけただろうか。

✩生理時の女の扱い方で男の差がつく

このように、女は「男にはなかなか理解できない苦しみ」に周期的に見舞われる。しかし、だからこそ、そのつらさに対して男がある程度の理解を示してくれると、女は救われたような気持ちになる。反対にまったく理解を示してくれないと、女はつらさに追い討ちをかけられたような気持ちになる。

つまり、女が生理のとき、その女に対して男がどんな扱いや対応をとるかによって、女がその男を見る目は大きく変わるといっていい。

例を挙げて説明しよう。

たとえば、あなたが彼女とのデートでディズニーランドに行ったとしよう。以前から計画し、ふたりでずっと楽しみにしていたデート。ところが、その当日、運悪く彼女が生理に…。アトラクションに乗っても、食事をしても、彼女はずっと浮かない表情。あなたの頭には次第に「せっかく来たのに…、いくら生理だからって何でそんなにつまらなそうな顔をしているんだ」という不満がふくらんでくる…。

さて、そんなとき、あなたはどんな対応をとるだろうか。

こういう場合、男は「生理？　それくらいガマンしろよ」とか「いつも経験してる痛みなんだから耐えられるはずだろ。もっと楽しそうな顔をしろよ」といった言葉を向けがちだ。でも、これではいけない。女だって申し訳ないと思っている。その自責の念に追い討ちをかけたところで、女をつらくさせるだけだ。

だから、男としては発想を変えなくてはならない。どんなに楽しみにしていたデートだろうと、どんなに無理をしてとったチケットだろうと、こうなったら「予定」の変更は仕方がない。女の体調を第一に思いやるようなプランに変えるべきだろう。

ディズニーランドで乗り物に乗れないならば、別に無理して乗らなくてもいい。ゆっくりベンチでくつろいだり、近くの海や公園で日なたぼっこをしたりするのでもいいではないか。女がどうすればラクになれるかを考えてデート・プランを変えれば、「ああ、この人は私のことをいちばんに考えていてくれる」と、女の気持ちは大きくあなたに動くはずだ。

つまり、女が生理のときの扱い方で、男には結構大きな差がつくものなのだ。

男には、女の生理の痛みはわからない。しかし、だからこそ、それに理解を示すことが、男が他の男に差をつけるチャンスにもなる。

別に演技でもいい。こういうときこそ、懐の深さを見せて何よりも女の体調を優先してやろう。きっと、その態度が「男の株」を大きく上げることにつながるはずだ。

15 女には「悪女期」と「淑女期」があるといわれるのはなぜか?

✩生理前になるとなぜ…!?

イギリスでの話だが、別れ話を持ち出した夫に対し、逆上した妻が車で夫をひき殺してしまうという事件があった。しかし、そのとき妻はPMSの時期にあり、裁判では心神喪失状態にあったとして情状酌量されたという。PMSとは月経前症候群のこと。生理前にホルモン・バランスが崩れ、さまざまな自律神経失調症状を引き起こすものだ。この時期、女はイライラしたり落ち込んだりすることが多くなり、精神的に不安定になる。なかにはこの例のように突拍子もなく攻撃的行動に出ることも少なくない。

しかし、いくらPMSだからといって、殺されてはかなわない。生理や生理前になる度に、このように凶暴になられては、命がいくつあっても足りないというものだろう。

それにしても、いざ生理となると、まるで別人のように豹変《ひょうへん》してしまう女は、たしかに少なくない。いったい、なぜなのだろうか。

☆女にはオスを呼び込む時期と寄せつけない時期がある

そもそも、女には「淑女期」と「悪女期」とがある。

淑女期はオスを呼び込む時期、悪女期はオスを寄せつけない時期だと言ってもいい。

なぜ、こんなことが起こるかというと、女性ホルモンが大きく変動するためだ。

淑女期は生理が終わってから排卵後4〜5日くらいまでの時期。この時期は前述のエストロゲンが分泌され、女の心と体の機能は大きく引き上げられる。心には意欲や好奇心があふれ、集中力や記憶力も向上する。体もよく動き、肌の調子もよく、全体にイキイキとした躍動感がみなぎるようになる。先に述べたように、これはすなわち、美しさや心身の能力を引き上げることによってオスを惹きつけようとするエストロゲンの策略なのだ。だから、この時期の女は、男にとって非常に魅力的な淑女に見える。

しかし、そうやって準備を整えた努力が空振りに終わると、排卵後、エストロゲンの分泌は徐々に低下する。そして訪れるのが悪女期。排卵後4〜5日から生理が終わるまでの間である。この時期は、エストロゲンに代わってプロゲステロンというホルモンが優位になり、女の心や体の機能は不安定になる。心にはやる気が失せ、集中力も欠き、イライラして、すぐカーッとなったり落ち込んだりすることが多くなる。体も重く、頭痛や眠気などあちこちに不調を感じる。また、肌には吹き出物やニキビが多くなる。女にとってこの時期は、生理を迎え、新たな卵をつくるための下準備をする休息期間だ。たとえセックスをしても妊娠はしないから、基本的にオスを惹きつける必要はない。だから、魅力を落とし、心身の機能も低下させて、ひきこもりモードにシフトするのだ。

なかでも特にPMSの時期に目立つ変化が、攻撃性が高まることだ。この原因はエストロゲンの低下とともにイライラを抑えるセロトニンが低下するためだと言われる。だが、妊娠を成立させるプロセスの面から見ると、次のような理由も考えられる。

排卵後から次の生理が始まるまでの生理前の期間というのは、メスにとってはひょっとしたら妊娠しているかもしれない大切な時期だ。自分の母体を守るために他のオスを寄せつけず、なるべく安静を保たねばならない。動物のメスは妊娠中や授乳中、外敵に対して「母性的攻撃行動」と呼ばれる激しい攻撃性を見せるものだが、これと同じように、自分のなかに宿った（かもしれない）遺伝子を守るために、攻撃的になるのではないかと考えられるのだ。

✩見分けがつかないからこそ男と女はおもしろい

つまり、淑女期、天使のような顔を見せていた女が、排卵を境に悪女に変身するのは、実に自然の理にかなったことなのである。排卵後の女は母体とその卵を守るために攻撃性を高

⑦ 女性の生理周期とホルモン分泌

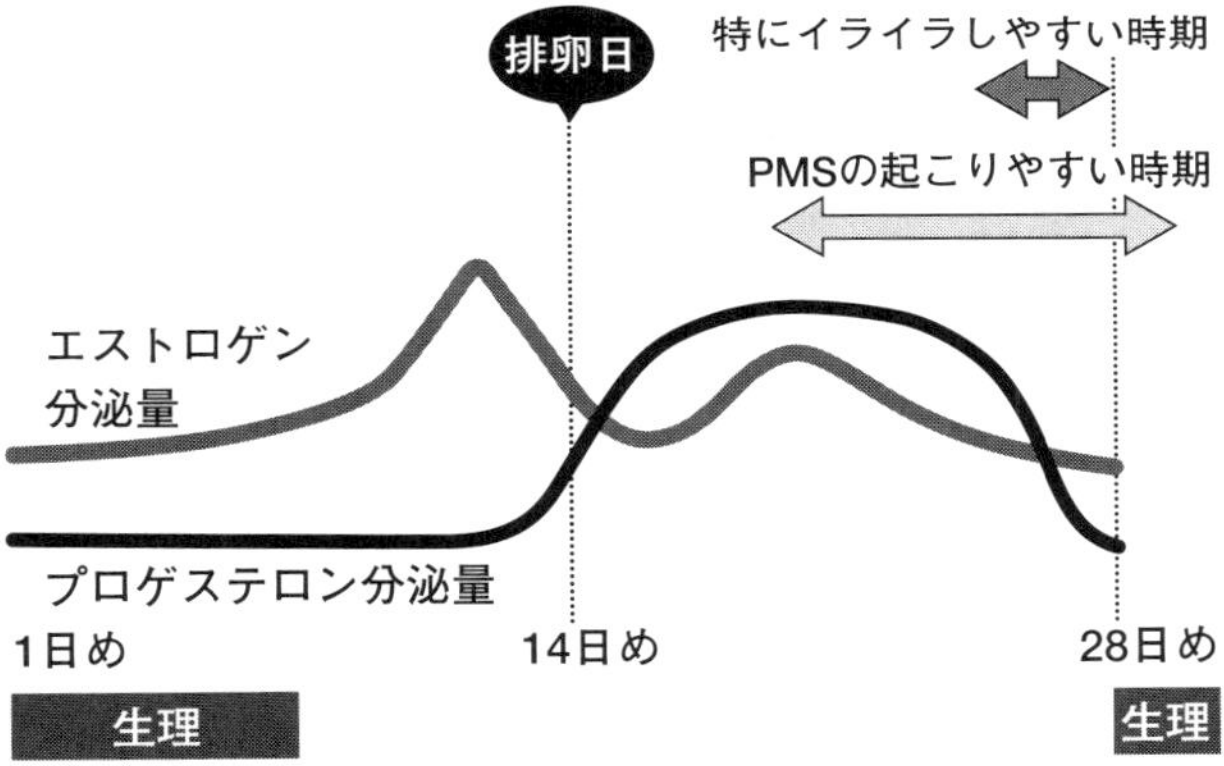

めるようプログラムされているというわけだ。

だから、この時期の女には、あまりちょっかいを出さないほうがいい。放っておくのが一番である。どうせ女自身も生理前だからしょうがないとわかっているのだから。

それにしても、この「ジキルとハイド」のように豹変する女を、男はいったいどうやって見分ければいいのだろう。もし淑女期と悪女期が見分けられるのなら、男は淑女期に接近し、悪女期は遠巻きにして近寄らないようにすればいいのだから、男にとってこれほど好都合なものはない。

その女が自分の妻や彼女なのであれば、ある程度、見分けもつきやすいだろう。以前女が生理になった時期を覚えておけば、だいたいその28日後に次の生理がやってくる。排卵するのは生理の始まったときからおよそ14日後くらいだ。生理期間が4〜7日くらいなので、生理が終わってから排卵後4〜7日までの約2週間のこの時期をねらえば、なかなか言い出しづらい頼みごとや相談ごとは通りやすいだろう。セックスやプロポーズなどの申し出も比較的受け入れられやすいはずだ。ただ、もちろんもっとも妊娠しやすい時期でもあるので、セックスをするならそれ相応の備えや覚悟も必要になる。

しかし、こうした身近な女でないと、残念ながら、見分けるのはなかなか難しい。会社で隣の女の同僚に、「生理いつだった?」とか「排卵した?」などと聞いたら、それこそセクハラものだ。それに、たとえ怒られずに済んだとしても、人間の女は、排卵したのが自分でもわからないのが普通だ。

ただ、相手の女が悪女期なのか淑女期なのか、わからないからこそおもしろいという見方もできる。他の動物はたいてい排卵時期と発情時期が一致していて、その時期にしか交尾をしない。人間だけが排卵時期の区別がつかず、のべつまくなしいつでも発情できるのだ。だから、男は常に相手の女が今、発情する可能性がどれくらいあるのかを一生懸命探ろうとする。そして、果たして自分を受け入れようとしているのか、拒もうとしているのかを手を尽くして見分けようとする。

だが、そう簡単に見分けがつくものではない。

しかし、だからこそ、男と女はお互いを探りあい、駆け引きをするのだろう。そうした探索行動が、人間の性をここまで複雑に発展させてきたのだ。そうでなければ、文学も演劇も映画もここまで発展しなかったはずだ。

先にも触れたように、女とはそもそもがアンビバレントな矛盾を抱えている存在だ。おそらく、「悪女」と「淑女」のふたつの顔を持っていて、その見分けがつかないからこそ、女は男を魅了するものなのではないだろうか。

16 見かけは20代でも中身は60代の女が増えている!?

☆20代なのに更年期障害のような症状が!?

よく、「女は骨だ」と言われる。

これは短い言葉で女の一面を捉《とら》えた、なかなかよくできたコピーだ。

というのも、最近はたいへん「骨年齢」の高い女が増えているからだ。実際の年齢が20代でも骨年齢は50代、60代なんていうのはザラ。なかには骨年齢70代などという若い女もいる。

だから、男は見かけにだまされてはいけない。伴侶《はんりょ》にはぜひとも骨が丈夫でしっかりした女を選んでもらいたいものだ。

それにしても、なぜ、こうした事態になってしまったのだろう。

それは、女たちが自分本来の「女のリズム」を軽視しているからだ。ストレスや不規則な生活、過激なダイエットなどによって、生理や排卵のリズムを大きく狂わせてしまっているのだ。

そのメカニズムはこうなっている。

エストロゲンをはじめとした女性ホルモンは卵巣から分泌されるが、それを「分泌せよ」という指令を下しているのは脳である。女性ホルモンの分泌指令は、脳の視床下部というところが判断を下し、下垂体を通して指令を出している。その肝心の脳の管制塔・視床下部がストレスを受けることによって分泌指令を滞らせてしまうのだ。

この視床下部は、ホルモンや自律神経を統括してバランスをとっているコントロール・タワーのようなものだが、外部からのストレスにたいへん弱いという特徴を持っている。それで、仕事や人間関係のストレス、過激なダイエット、過労や睡眠不足といった「外圧」を加えられると、とたんにダメージを受け、バランスを崩してしまうのだ。

ストレスによるダメージで視床下部の働きが鈍ると、「女性ホルモンを分泌せよ」という指令が出たり出なかったりということになる。指令が届かなければ、当然卵巣は女性ホルモンを出さなくなる。するとどうなるかというと、排卵のリズムが狂い、生理が不順になる。まったく分泌指令がストップしてしまえば、排卵も生理もストップしてしまう。

これによって女が受ける影響は甚大だ。女を女たらしめるホルモンがストップするということは、「受胎能力」という女にとっていちばん大切な能力を使えないということである。

また、エストロゲンが出ないことで美貌《びぼう》や健康にトラブルが起きはじめる。肌や髪からうるおいやハリが失われ、女らしい輝きや活力が全体に衰える。骨からはカルシウムが溶け出して骨量が減少してしまう。若くても骨年齢がおばあさんのような女が多いのはこのためだ。

さらに、なかには20代、30代であるにもかかわらず、めまい、頭痛、ほてり、肩こり、イライラといった、まるで更年期にでもなったかのような自律神経失調症状を訴える女もいる。これを「若年性更年期障害」といった名称で呼ぶ人もいるが、この場合、卵巣自体は正常な働きをする能力を残しているので、この呼び方は正しくない。あくまでストレスによってホルモン分泌指令が途絶えることによって一時的に起こっている症状であり、ストレスフルな生活習慣を見直して視床下部が正常に働くようになれば、卵巣もふたたび女性ホルモンを分泌するようになる。

ともあれ、このような事態になったら、女は女の持つ本来あるべき機能を自ら放棄しているようなものだ。女たちはストレス漬けの日常のなかで自分の姿を見失い、本来あるべき「女のリズム」をも見失いかけているのだ。

✩やっぱり女は早く結婚して子供を産むべき？

ところで、このように女が自分のリズムとバランスを崩してしまったのは、女の「社会進

⑧ 女性のホルモン分泌と脳のメカニズム

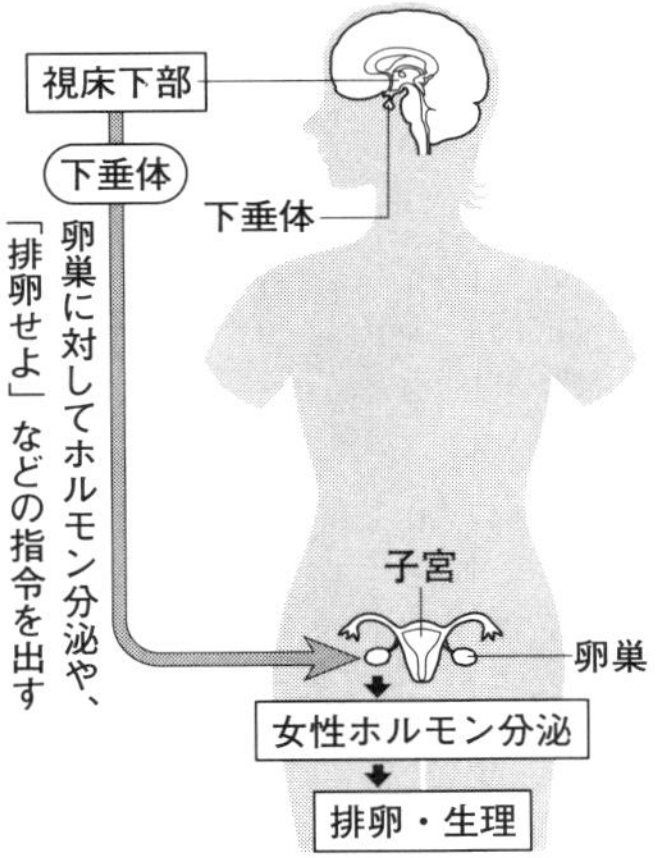

正常の場合

毎月の生理や排卵は、女性ホルモンがバランスよく分泌されているからこそ起こる現象。女性ホルモンは卵巣から分泌されるが、その分泌指令を出しているのは脳。間脳の視床下部が下垂体を通して「ホルモンを分泌しろ」「排卵せよ」などの指令を出している。

ストレスによる生理トラブル

ホルモンのコントロールタワー・視床下部が過度のストレスによってダメージを受け、卵巣へのホルモン分泌指令が滞っている状態。このような状態が長期間続くと、ホルモンや自律神経のバランスが崩れ、さまざまな症状に見舞われる。

出」が急速に進んだことと無縁ではない。男と肩を並べて働く女が増え、当然ながら背負う責任もストレスも大きくなった。女には仕事以外で気を使わなければならない部分が多く、そのうえ結婚問題、家庭の問題などで悩みを抱えることも多いため、抱えるストレスの量は男以上かもしれない。

その過剰なストレスが女の本来持つ能力に圧力をかけているのだ。もちろん、だからといって「女は仕事などせずに、早く結婚すべきだ」などと言う気は毛頭ない。私も女として医師の仕事を続けてきたひとりだ。だが、社会進出を果たした女により多くのストレスがかかり、それが女の体に悪影響をもたらしているのは、否めない「事実」なのだ。

それに、仕事の存在は、否応《いやおう》なく結婚・出産時期の遅れに影響を与える。女の生体メカニズムからいっても、もっとも出産に適した時期は25歳から29歳だ。この期間はいちばん流産が少なく、出産トラブルも少ない。女の脳や体は、本来子供を産むべき時期に合わせてホルモンや体の活性を高め、その時期に出産という大仕事に耐える力を出せるようにプログラムされているのだ。だが、この時期を過ぎるとだんだん卵の鮮度が落ち、骨盤の筋肉もかたくなってくるので、出産に伴なうリスクが次第に高くなる。今は高齢出産に対する医療技術が進んでいるとはいえ、産むためにもっとも適した時期を逃すと、いろいろな無理や負担が脳や体にかかってくるのだ。

この結婚・出産の適齢期を仕事に費やしてしまうのは、女が本来備えている体のベクトルに逆らった流れだといえる。だから産婦人科のドクターは口を開けば「早く子供を産め」という。

時代は、「適齢期」などという言葉を死語同然にするくらい、女たちをどんどん仕事へと駆り立てている。そして駆り立てている原因のひとつは女としての「産み、育てる性」を発揮させたいと思わせるほどの魅力を備えた男性が少なくなっていること、もうひとつは結婚し出産後も仕事を続けていけるだけの社会環境が不十分なことだ。

女が女としての性を全とうさせるためには男の力が不可欠である。子育てはひとりではできない。社会制度を作るのは主に男だ。だからこそこの本を読んで、女をきちんと理解し、結婚・出産という女の大事業と、社会活動という人間としての事業を両立していけるような社会環境を作ってほしいと願うのである。

17 女はなぜ、性懲りもなくダイエットに励むのか？

☆極端なダイエットは女の敵

どうも、女が目指している「美しい体型」と、男が女に求めている「美しい体型」には、微妙なズレがあるようだ。

というのは、（人にもよるが）たいていの男は涙ぐましいほどのダイエットの努力をしてまで女にやせてほしいとは思っていない。男はあまりにやせた女や無理をしてやせた女には直感的に「不健康そうなニオイ」を感じとるものだ。それに、（これも人によるが）あまりにメリハリのつきすぎたムダのない体よりも、多少脂肪のつきがいいくらいのほうが男にとっては美しく見える。

なぜなら、少し太めくらいのほうが受胎能力が高く見えるからだ。

女のプロポーションはその受胎能力を反映する。太りすぎているのもやせすぎているのもダメだ。摂食障害がいい例だろう。拒食症で極端に体重が減ると、生理や排卵がストップしてしまう。同様に過食を繰り返して極端に太りすぎてもストップする。視床下部が「この体重変化は体にとって危機的な状態だ」と判断し、生命維持を優先して卵巣へのホルモン分泌指令をストップしてしまうのだ。

摂食障害は極端な例だとしても、ダイエットによって「本来の女のリズム」を狂わせてしまっている女は多い。視床下部は体重変化の「ストレス」に弱いため、ちょっと無理な食事制限をしたり、間違ったダイエットをしたりすると、てきめんにバランスを崩し、ホルモンの分泌指令を滞らせてしまう。それが生理不順などの月経トラブルにつながるわけだ。受胎能力の危機とまではいかなくとも、こうしたダイエットが女本来の機能をダウンさせることにつながっていることは疑いない。近年不妊に悩む女が増えているのも、これと無縁ではないだろう。

だから、極端なダイエットは女の敵だ。そこには、女を女たらしめるホルモンの分泌に悪影響を与え、女らしさをどんどん失わせかねない罠《わな》が潜んでいる。

なのに、女はそれに気づかない。

何度となく挫折《ざせつ》しても、また性懲りもなくダイエットをはじめる。いくら男が「何でそんなにやせる必要があるの?」と言っても貸す耳は持たず、ちょっとやせてはリバウンドを繰り返す。そして、「もっとやせたい」「もっとやせたい」の一点張りで、どんどん気持ちをエスカレートさせていってしまう。

いったい、どうして女はこうも必要以上にやせたがるのだろうか。

✩ダイエットという禁断のゲーム

女がことダイエットとなると目の色を変えるのは、ひとつにはその成否が自己評価に直結しているからだ。

「やせていればより若く見える」「やせていればみんなからもっと注目される」といった確固たる先入観が頭のなかに築かれている。拒食症の場合、食事を拒み、必要以上にやせたがるもっとも大きな理由は、「やせればみんなから注目される」というものだ。やせて子供のころのようになれば、親もみんなも子供のころのように自分をかわいがってくれる。だから、これ以上食べて太って「醜い大人」になりたくないというわけだ。たとえ拒食症ではなくとも、ダイエットに憑《つ》かれた人の心理はこれにかなり近い。つまり、他人からもっといい評価をしてもらいたいがために本来はしなくてもいいダイエットに励んでいるのだ。

特に女の場合、自分が他人からもっとも評価されるのは、自分自身の美しさだ。これが男なら、評価される対象が仕事の成果や才能だから「自分がやったこと」で示せばいい。だが、女はそうはいかない。評価の対象が自分自身であり、それが自分の存在価値の問題に関わってくるのだ。

だから女は、ダイエットをして、より若く、より美しくなることで自分の価値を他人に認めさせようとする。そしてそのために、ダイエットに失敗すると、まるで自分の存在価値をすべて否定してしまうような挫折感や自責の念を感じ、ダイエットに成功すれば、まるですべての人に評価される仕事を成し得たかのような高揚感や達成感を感じるのだ。

男からすれば、理解しがたい感覚だろう。

しかし、本当に馬鹿げたことではあるが、どんなに失敗をして何度痛い目にあっても、女には「やせて自分の存在を評価されるほうが大切」という思いが根底にあるものなのだ。おそらく、その強いモチベーションの前では、多少健康を害そうが生理が遅れようが気にならないのだろう。そうした点で見ると、女にとってダイエットは、「自分の評価」を賭《か》けた禁断のゲームなのかもしれない。

18 「結婚するなら、女の母親を見ろ」というのは本当なのか？

☆美人は遺伝する？　しない？

美人は果たして遺伝するのか。

これは男にとっても女にとっても気になる問題なのではないだろうか。

結論から先に言ってしまうと、顔かたちに関しては、答えは「NO」だ。

なぜなら、子供は両親から50パーセントずつ均等に遺伝子を受け継ぐもので、それがどんな組み合わせや配列になるかはわからないからだ。たとえ、両親とも文句のつけようのない美男・美女であっても、母親から切れ長の楚々《そそ》とした目を受け継ぎ、父親からたくましく大きな鼻を受け継いだとしたら、その女の子は果たして美人と言えるだろうか。美しさというものは、各パーツのバランスで決まるもの。だから、親が美しいからといってその娘も美しくなるとは限らないのである。

☆体型・体質は母性遺伝する？

だが、これが「体型」の美しさとなると、話は別だ。

体型は遺伝する傾向が強く、特に娘は母親の体型を受け継ぎやすい。なかでも肥満。すなわち、太りやすい体質は遺伝する。もちろん食習慣などの環境因子も影響はしているが、現在はさまざまな「肥満遺伝子」が発見され、親が太りやすい体質であれば、その体質が子供にも受け継がれることが科学的に証明されつつあるのだ。

また、娘の体型が母親に似てくるのには、「ミトコンドリア遺伝」が関係している。ミトコンドリアとは、細胞内にあるエネルギー産生器官。つまり、細胞を動かすエンジンのようなものだ。このエンジンがたくさん燃料をくうタイプなのか、それとも燃費のいい効率的タイプなのかで、そのエネルギー産生能力はだいぶ変わってくる。つまり、そのタイプの違いによって太りやすいか、やせやすいかが決まってくるのだ。

さらに、おもしろいことに、このミトコンドリアのタイプは、母親から子供への み母性遺伝をする。父親がどんなミトコンドリアのタイプであろうと、それは子供には受け継がれない。ミトコンドリアは、母から娘へ、娘からそのまた娘へと脈々と受け継がれていくものなのだ。だから、女がミトコンドリアのタイプを診断すれば、自分の出自ルートをある程度知ることができる。そして、そうやって女によって受け継がれてきた遺伝子を遡《さかのぼ》っていくと、最終的にはアフリカの「イヴ」というひとりの人類共通の祖先に行き着くとも言われている。

話が横道にそれた。話を元に戻すと、だから娘の体型は母親に似やすいのだ。

よく、「もし真剣に結婚を考えているのなら、その娘の母親を見ろ」と言われるが、これはこと体型に関しては当たっているかもしれない。つまり、今、娘がどんなに美しいプロポーションをしていても、その母親が太っているならば、ゆくゆくは娘も太る可能性が大きい。

それともうひとつ、「体質」もかなり似てくるケースが多い。たとえば、母親と娘では生理の重さや周期が似ることが多いし、婦人科系の病気なども受け継がれる確率が高い。また、自律神経の過敏さなども似てくる。冷えに対する弱さや乗り物酔いのしやすさなど、外からのストレスに対する体の反応が似てくるのだ。自律神経失調症の症状は多様で、それこそ百人百様なのだが、治療をしていると、母と娘とでそっくりな症状を訴えるケースに何度も遭遇する。

そういう意味では、逆に娘が現在何らかの原因で具合が悪くても、病気を克服して将来母親のように元気バリバリになることもある。男性だって病気知らずでまるで疲れを知らない子供のように元気だった人でも、ある日突然脳卒中になって病の床に伏す人もいるし、おとなしかった男性が結婚したら突然暴力亭主になることもある。髪の毛フサフサのイケメンでも次第に前頭部が後退して……。実は、人間は予測がつかないというのが本当のところだろう。

もちろんゲノムをつぶさに解析することができれば予測も可能であろうが、環境因子の大きさは想像以上だ。

明日のことは誰もわからない。だから、将来をあれこれ心配するより、どんな事態になってもそれなりに対応できるだけの柔軟性を身につけるほうが男にとっても女にとっても余程重要だと思う。

19 冷え性、貧血、便秘、女にはなぜ、いつも「不調」があるのか？

✩女は体の警報センサーが発達している

この章の冒頭で述べたように、女はちょっとしたことですぐに健康のバランスを崩しやすい。そして、そのために、女の体はバランスが崩れたことを、すぐに警報として知らせるシステムを発達させている。その警報がさまざまな「不調」や「痛み」。女の体は不調や痛みを感じるセンサーが男よりも敏感にできているといってもいいだろう。

だから、女は常に何かしらの「小さな不調」を抱えているものだ。頭痛、生理痛、肩こり、冷え、便秘、頻尿、立ちくらみ…女がよく訴える不調を挙げだしたらそれこそキリがない。

しかも、それらはたいてい、即病院に行かねばならないような大トラブルではないため、女はその不調や痛みをガマンしてやり過ごす場合が多い。

そして、それによって男は往々にしてしわ寄せをくらう。「こんなにつらいのに、何でわかってくれないの」と文句を言われたり、「あなたにはどうせこの痛みがわからないでしょ」

と嫌みを言われたりするのだ。おそらく、男としては「そんなこと言ったって、しょうがないじゃないか」という気持ちにさせられることだろう。

だが、生理痛の項目でも述べたように、たとえその痛みをわかることができなくとも、どういうメカニズムの違いによってそうした不調や痛みが生まれるのかを知ることは大切だ。また、それをわかったうえで、ちょっとした気遣いをしたり、優しい言葉をかけてやったりすれば、おそらくあなたの男としての評価は大きく上がることだろう。

この項では、以下、女に多い「小さな不調」の代表的なものを取り上げ、なぜ男と女で違いが現れるのか、そのメカニズムを説明していくことにしよう。きっとさまざまな「発見」があるはずだ。

✩冷え性という魔物

夏のオフィスでは、エアコンの設定温度をめぐって男と女でもめることが少なくない。男が適温と感じる温度でも、女は寒いくらいに感じている場合が多いのだ。

これはそもそも、快適だと感じる温度が女のほうが男より2~3度高いため。原因には、女は男よりも筋肉の量が少ないので、体の熱エネルギーを生み出す力が小さく、また循環血液量も少ないこと、ふたつめは心臓のポンプの力が女は男よりも弱いために、末梢《まっしょう》まで十分血液を送り出せないこと、みっつめは毎月出血があるので、血液中の鉄分の量が不足していることである。つまり、男と女では体が生み出せる「熱」の量が違うのだ。

さらに、女は男に比べて皮下脂肪の量が多く、腹や尻《しり》、脚など、特に脂肪の多い下半身に冷えをためやすい。また、ポンプの力が弱く、血液やリンパなどが滞りやすいから、「体の水分」がたまって、そこがまた冷えやすくなる……といったように、冷えをため込む条件が、そろいすぎるほどにそろっているのだ。

男性の性器は体の外についている。これは冷やしたほうが精子の産生能力が上がるからだ。しかし女性性器は体の内にある。つまり温めたほうがその機能が維持できるからである。だから、昔からよく「女は体を冷やしてはいけない」と言われる。にもかかわらず、女たちは自ら進んで体を冷やすような行動をとる。ミニスカートで脚を露出し、冷たい飲み物や食べ物をとり、クーラーの冷風に身をさらす。

こうして体が冷えると、内臓や自律神経の働きも鈍って、体にさまざまな病気やトラブルを引き起こす原因になる。最近は、不妊に悩む人が増えているが、こうした「冷えに無防備な生活」がその大きな一因にもなっている。とにもかくにも、冷えは女の大敵なのだ。夏、女たちがエアコンの設定温度を上げてくれと言ってきたら、素直にきいてやろう。それが彼女たちの受胎能力を高め、少しは少子化傾向に歯止めをかけることに貢献できるかもしれない。「クールビズ」は結果的に女を守る政策となった。

✩女の大半が経験済みの頻尿、膀胱炎

女とデートをする際、気をつけなければならないのが、「トイレ・タイム」をいかに設定するかだ。長時間のドライブにしろ、ハイキングにしろ、コンサートや映画を観るにしろ、男は常に頭の隅に女の膀胱《ぼうこう》の問題のことを置いておくべきだろう。なにしろ、女はトイレが近い。これは男より女のほうが膀胱に尿をためられる容量が少ないためだ。男はしばらくガマンすることができるが、女にはなかなかそれができないのだ。

また、もうひとつ、女のトイレが近い大きな原因が膀胱炎だ。これは女にとっては、その大半が経験したことがあると言ってもいいくらいのポピュラーな病気である。女は男よりも尿道が短く、また尿道口が肛門《こうもん》や膣《ちつ》に近い。そのために膀胱にばい菌が入りやすく、炎症を起こしやすいのだ。また、女は仕事中やデート中、なかなかトイレに立ちにくいために、長時間ガマンして炎症を悪化させてしまうことが多い。膀胱に炎症が起こると排尿時に痛みを感じるようになり、残尿感を訴えてさらに頻尿になる。抗生物質を飲めば簡単に治すことができるが、なかには、再発を繰り返し、薬が効きにくくなってしまうケースもある。

だから、男としては、女にトイレをガマンさせるような状況におくことは、できるだけ避

けるべきだ。たとえば、寒い場所で長時間ひとりで受付をさせるような仕事はさせないほうがいい。そして、仕事やデートにおいて、女のトイレのことにちょっとした気遣いを見せることで、男の好感度はよりアップするはずだ。食事の後や、映画館にはいる前など「トイレ大丈夫?」と声をかけてあげるだけで、女は男の気遣いを実感するものだ。

✩便秘と頭痛

男にとっては信じられないことかもしれないが、1週間も10日も便通がない女は決してめずらしくない。3日や4日くらいならザラにいると言っていい。とかく女とは何かと「ため込む」性癖をもっているものだ。脳にも体にも「出し入れ」が大切なのに、「入れる」ばかりで「出す」ほうを軽んじているから、いらないものをどんどんためこんでしまうのだ。

女は男よりも腹筋が少なく、いきむ力が弱い。また、便秘が増えているのには、ストレスや体の冷え、ダイエットによる偏食傾向などが腸の蠕動《ぜんどう》運動を弱めているという背景もある。

だが、何日も出さないままでいることが体に悪いのは当然至極である。便秘が続くと、腸内には悪玉の細菌がはびこり、内容物を腐敗させてガスなどの有害物質を生む。ガスの一部はおならとして排出されるが、残りは腸壁から血液中に入り、体中を回ることになる。これは毒素を含んだ血液を全身に振りまいているようなもの。この汚れた血液が肌に行き着けば肌荒れのもとになり、ほかの臓器に行き着けばその臓器がトラブルを起こす原因になる。最近では、ガンを誘発する大きな原因になるとも目されているくらいだ。腸管壁が荒れれば腸管免疫がおちて、外からはいってくる物質に対して無防備になる。最近急増している花粉症も腸管免疫の低下が誘因になる。

栄養素の吸収も悪くなるから体の代謝も悪くなる。腸がふくれて血管も圧迫されるから血流も悪くなる。つまり便秘は腸を「不調の生産工場」にしてしまっているのである。

便秘を解消する手立てについては、女たちは言われなくてもよく知っているだろう。食物繊維を中心にバランスのいい食事をとり、リズムのある排便習慣をつけ、ストレスをためないようにし、運動もしっかり…。しかし、それがわかっていながらも、なかなかスッキリ解消とはいかない。やはり、女は「ため込む性」なのだ。

頭痛には大きく分けて、片頭痛と緊張型頭痛というふたつのタイプがある。片頭痛は頭の片側がズキンズキンと脈の搏動《はくどう》に合わせて痛む頭痛、緊張型頭痛は長時間の仕事やストレスなどによって頭がギューッと締めつけられるように痛む頭痛だ。これらの頭痛に悩む女は少なくないが、なかでも片頭痛に悩む女は男の4倍も多いという。

片頭痛が女に多いのは、女性ホルモンのエストロゲンが関与しているせいだ。だから、片頭痛の発作は、生理前、エストロゲンの濃度が変化する時期に特に起きやすい。発作の程度は人にもよるが、階段の昇り降りなどちょっと体を動かしただけで頭痛がし、仕事や家事などがままならなくなる。いったん発作が始まると短くて数時間、場合によっては2〜3日症状が続くこともある。

片頭痛に対しては、最近はいい薬もあるので、ガマンせずに専門医に相談したほうがいい。そして、男はもちろん、周囲の身近な人がその症状に対して理解を示すことが、なにより大切になってくる。間違っても「たかが頭痛くらいで…」などと言ってはいけない。

✩肝心なときに倒れる貧血と立ちくらみが怖い低血圧

貧血にはいくつかのタイプがあるが、もっとも多いのが鉄欠乏性貧血だ。血液中で酸素を運ぶ役割をしているのが赤血球のなかのヘモグロビン。そのヘモグロビンをつくる原料になるのが鉄。その鉄が欠乏しているからヘモグロビンが減り、酸素供給不足になる。それで、めまい、動悸、息切れ、吐き気、頭重感などの症状が起こるわけだ。

鉄は酸素を運ぶだけでなく、骨や皮膚、粘膜の形成にも関係している。口内炎ができやすかったり、肌が荒れてきたら、それは鉄不足かもしれない。胃腸の粘膜も弱くなるから食欲も落ちてますます鉄が不足してしまう。

そしてもうひとつ知ってほしいのは、鉄不足が身体症状だけでなく精神症状も引き起こすことだ。イライラや神経過敏、無気力やまるでうつ病のようであるが、実は鉄不足によるエネルギー・ダウンである。

鉄が不足するのは、これはもう女の背負った宿命と言ってもいい。毎月、生理で血液を失ううえ、妊娠、出産、授乳といったプロセスで大量の鉄分を必要とする。慢性的に鉄が不足してしまうのは、女として生まれた以上、ある程度は仕方ないことなのだ。しかし、現代の女たちは、そうした状況であるにもかかわらず、朝食を抜き、ダイエットをし、鉄が体に入ってこないような生活をしている場合が少なくない。こうした傾向がさらに鉄不足に拍車をかけてしまっているのだ。対策は「ポパイのようにほうれん草食べればいいんだろ」なんていっているようでは、鉄不足から逃れられない。野菜のなかに含まれている鉄は非ヘム鉄といって、吸収が悪い。吸収のよいヘム鉄は肉やレバー、魚介類に含まれている。もしあなたの隣にいる女が「肉は太るから食べない」なんて根拠のないことを言っていたら、「僕は肉をモリモリ食べて『元気はつらつー!』の君のほうが好きだ」

と言ってほしい。

しかし手っ取り早い方法はサプリメントを飲むことだ。ヘム鉄ならば、過剰症を心配することもなく、気軽に利用することができる。貧血に悩んでいる人にはぜひすすめてほしい。

男には、貧血と低血圧の区別がついていない人が多い。簡単に言えば、貧血は血液の

「質」が問題なのに対し、低血圧は血液を循環させる「力」が足りないのが問題。つまり、心臓の血液を押し出す力が弱いのだ。低血圧の人の血圧値は、一般に最高血圧が100〜110ミリメートルHg以下。やはり女に圧倒的に多い。

　低血圧にもいくつかのタイプがあるが、最近目立つのは起立性低血圧。長時間立っていたり、いきなり立ったりすることで、頭に血液が不足するタイプだ。座った状態や寝た状態から急に立とうとすると立ちくらみを起こすことがあるが、それは血液が脳まで急に行き届かないから。起立性低血圧になると、そうした症状が頻繁に起こることになる。また、起立性低血圧に限らず、朝、なかなか起きられないのが特徴だ。

　貧血にしても低血圧にしても、怖いのはふらつきや立ちくらみだ。急に目の前が真っ暗になってバタッと倒れてしまうことも少なくない。階段や交通量の多い道、電車のホームなど、倒れた場所によってはそれが大けがや大事故につながる場合もある。だから、もし、妻や彼女が貧血や低血圧の症状を訴えたなら、しっかりと支えてやることだ。周りの目など気にせずに、ギュッと抱いてあげよう。あなたの妻や彼女が朝弱いタイプなら、それは鉄不足か低血圧の可能性が高い。グダグダ文句を言ったり、叱咤《しった》激励する前に、病院で診てもらうことをすすめたほうがいい。治療すればかなりよくなる。

第4章

お願いだ、これだけはやめてくれ!

男が困らされる
「女の行動戦略」

20 女はなぜ、女同士お互いに足を引っ張り合うのか？

★女にとってはすべてが比較と競争の対象

女は嫉妬《しっと》深い生き物だ。

ここでは女同士の嫉妬心について述べようと思う。

女というものは、女同士絆《きずな》の固い「群れ」を作るのにもかかわらず、思わず目を背《そむ》けたくなるような醜い足の引っ張り合いをするものだ。社内メールで特定の女子社員を誹謗《ひぼう》中傷するような内容が流されたり、ルックスだけが取り柄の新入社員をネチネチといじめたりするのも、嫉妬深い女の仕業と相場が決まっている。女子高生のクラス内いじめも、主婦が気に入らない仲間に意地の悪い仕打ちをするのもそうだが、とにかく女が「群れ」をなして集まっているところには、必ずといっていいほどこうした陰湿な足の引っ張り合いや泥仕合のもめごとが起こる。

いったい、なぜなのだろう。

後で詳しく述べるが、女の脳は「報酬系」と呼ばれる〝欲求を満たすことで快感を得る回路〟が発達していて、「欲」を高めやすい構造になっている。つまり、生物学的に「欲張り」なのだ。欲を高めやすいということは、それだけ見栄や競争心を高めやすいということになる。簡単に言えば、「うらやましい」という感情を高めやすいということだ。

女とは、常に他の女と自分とを無意識に見比べているものだ。ルックスやファッションはもちろん、頭のよさや才能、夫の年収、住んでいる家、子供の出来のよさ…すべてが比較の対象、競争の対象になり、女の見栄を刺激する。そして、自分が他人より劣っていると思えば、「うらやましい」という気持ちを大きくふくらませてしまう。

ただ、「うらやましい」というくらいに思っているうちはまだいい。それが「羨《うらや》み」や「妬《ねた》み」に変わると、その相手の足を引っ張ってやりたいという後ろ暗い感情がプラスされる。そして、「嫉妬」の火がついてしまうと、相手を攻撃したい衝動を自分でも抑えられないほどになってしまうのだ。もう、こうなったら、手がつけられない。男はただ手をこまねいて、女同士の激しい応酬が収まるのを祈るばかりだ。

◆女は相手を下げることで自分を保つ

女の「うらやましい」という感情が「相手の足を引っ張りたい」という感情に変わりやす

いのは、とりわけ自分と同じ「群れ」の仲間が急に幸せをつかんだり評価を上げたりした場合だ。

先にも少し触れたが、女同士のコミュニティにおいては「みんなヨコ並び」が原則だ。自分だけ目立とうとしたり、男の目を引こうとしたりしたなら、とたんに他の女たちから非難を浴び、総スカンにされてしまう。女たちの固い絆は、基本的に「なんだ、あなたも私と同じじゃない」という共感のもとに成り立っているといっていい。だから、ひとりだけが極端に成功したり大きな幸せをつかんだりすることは許されない。すると、周りから「なんであの人だけが…」という羨みの目を向けられ、とたんに足を引っ張られてしまうのだ。

ちなみに、タテ社会に生きている男の場合は、「相手を蹴落《けお》としてでも上に行きたい」というタテのベクトルで競争をする。

ところがヨコ並びの群れに生きる女の場合は、「相手を引きずりおろして自分と一緒のレベルにしたい」という意識が強い。「同じレベルにしたい」「ヨコ並び」に引き戻したいというヨコの原理が働くのだ。

つまり、女は相手の価値を下げることによって自分を保つことが多いのだ。「なーんだ、結局あなたも私と一緒じゃないの」というところにまで相手を引きずりおろし、自分の評価やプライドを守ろうとしているわけだ。

◆男は「知らぬ存ぜぬ」でいたほうが長生きできる

では、こうした女同士の足の引っ張り合いが目の前で繰り広げられた場合、男はどのように対処すればいいのだろう。たとえば、女の多い職場でこうした「抗争」が起きたとしたら、上司であるあなたは困り果ててしまうのではないだろうか。

だが、結論から言えば、そう深刻に心配する必要はない。

女たちの足の引っ張り合いは、大きな目で見れば、その多くは「女の派閥抗争」のようなものだ。群れの主導権争いや新旧の世代交代が抗争の原因である限り、ヘタに口を出さずに、知らないフリをして遠目で眺めていたほうがいい。

なぜなら、女は自分たちにとって「群れ」が必要不可欠の存在であることをよく知っているし、その「群れ」に平和と結束が大切なこともよく知っている。だから、放っておけば、自分たちで自浄能力を発揮して、それなりの着地点を見つけて解決していく場合が多い。そう大惨事が起こることはないのだ。

それに、こうした抗争は、たいていは水面下で行なわれ、それなりに派閥同士の微妙な均衡を保ちながら争われているものだ。ヘタに首を突っ込んで、その均衡を崩しでもしたら、かえってややこしいことになりかねない。

だから、たとえあなたが上司であっても仕事に支障をきたさない限り、「知らぬ存ぜぬ」という立場でいたほうが身のため。さわらぬ神にたたりなしということだ。

ただ、ひとつ注意しておきたいのは、これが男を巻き込んでの「痴話」話のもつれである場合、血を見る可能性も少なくないということだ。

男の取り合いによる嫉妬となると、極端な場合、女同士でつかみ合いの喧嘩《けんか》をすることもある。それが職場であろうが往来であろうがおかまいなし。嫉妬に狂い、見境がなくなった女は何をしでかすかわからない。

そうなったら、もう、ひとりの男の力では止められない。江戸時代の「大奥」の世継ぎ争いのようなもので、ヘタに首を突っ込んだために自分も足を引っ張られてはかなわない。とにかく巻き込まれないようにすることに力を注ぐべきだろう。

21 女はなぜ、化粧のノリが悪いくらいで不機嫌になるのか？

★化粧はオスを惹きつけるための戦略？

化粧がバッチリ決まった日、女はすこぶる気分がよく、その日の仕事も「さあ、やるぞ」という気になる。しかし、化粧のノリが悪く、なかなか決まらない日はズッシリと気が重く、仕事もする気になれない。ほおに大きな吹き出物でもできていた日には、外にすら出たくなくなる。

この落差は男には不可解であろう。おそらく、なぜそれくらいのことでそんなに変わるのかが不思議だと思う。

では、まず女にとっての化粧の重要性からご説明しよう。

大昔、化粧には、魔除《まよ》けや細菌の排除などさまざまな意義があったというが、近現代においては、主に人間のメスがオスを惹《ひ》きつけるための手段として用いられてきたことは疑いない。

　多くの動物はフィメール・チョイスといい、メスの側がオスを選ぶシステムになっている。オスはメスを惹きつけるために自分を強く美しく飾り立てる必要があり、だから、ライオンのオスのたてがみは長く、クジャクのオスの羽は美しく、ツバメのオスのしっぽは長いのである。ところが人間の場合はこれが反対。メール・チョイスといい、基本的に男の側が女を選ぶシステムになっている。人間のメスは生殖期間が限られている。卵はできるだけフレッシュなほうが繁殖に適している。つまり人間のオスは若いメスのほうが好みである。これがサルになると話は異なる。サルのメスには更年期がない。要するに、生涯現役。更に若いメスより年のいったベテランメスのほうが育児がうまい。だから、サルのオスは必ずしも若いメスを選ばない。

　ところが人間のメスはオスを惹きつけるために若作りをしなければならない。幼児のようなきめの細かいピンクの透きとおるような肌に見せるためにファウンデーションを塗り、パウダーをはたき、チークを入れる。だから大人げない透明感を出すファウンデーションなんてものができるのだ。ついでに言うならばサルのメスは発情するとお尻《しり》の性器がふくらんで赤くなる。これを見て、オスも発情してマウントする。しかし人間のメスは2本足で立ってしまったのでお尻が見えなくなってしまった。では発情はどうやって知らせるのか。それは唇である。顔のなかで唯一赤いのは唇である、ピチピチに張った肌に赤い唇、口紅を塗って更に赤くしてオスを呼ぶのである。

そして顔のなかで一番最初に目がいくのは「目」である。一番印象に残るのも「目」である。だから「目」を目立たせるために、盛んにアイ・メイクをする。クレオパトラの目のふちどりを見ればわかる。その瞳で男を吸い込もうと企《たくら》んでいるのである。

男だって自分の企画した仕事がうまく進まないと、イライラして機嫌が悪いではないか。女も自分の企みがうまくいかないと不機嫌になるのだ。

化粧がうまく決まると、女の脳にはドーパミンが出る。この快感ホルモンは、「やる気」や「意欲」にも大きく影響していて、だから、仕事や家事をがんばろうという気持ちも自然に湧いてくる。整形で若く美しく変身した女は、心までも別人のように前向きに変わるとよくいわれる。それと同じように、化粧によって若く美しく「変身」できたという快感が心をまでも前向きに変えるのだ。そして、男の脳は女の「変化」に惹きつけられ、その求愛行動に大きな変化がもたらされる――という図式になるわけだ。

◆男には化粧の細かい違いがわからない

ただ、ここでの男と女の化粧に対する「認識」には大きな開きがある。

先にも触れたように、女の脳は「目の前の細かいこと」に気づく能力に長《た》けているのに対し、男の脳はそうした細かいことに対して気が回らない。

だから、男の脳は、女がちょっと化粧を変えたくらいではなかなか気づかない。髪形が変わってもわからない男もいるくらいだから、ファウンデーションを変えたりマスカラで睫毛《まつげ》を濃くしたりしたくらいでは、まったく変化に気づかないといっていい。ところが、女の脳はその細かい違いに気づく。ファウンデーションの下地を変えたくらいのことでも「○子、今日はなんかいつもと違う」といったように、その差を認識できるのだ。

そういう意味では、現代においては「化粧」とはオスの目を意識した行動というよりも、隣のメスを意識した行動になってきているのかもしれない。「違いのわからない男」に対してがんばって化粧をしても甲斐《かい》がないから、「違いのわかる女」に対して少しでも差をつけることによって満足を得るように変わってきているのであろう。

しかし、まあ、女としても、男から化粧をほめられるとうれしいものだ。マスカラやファウンデーションの細かい違いなどわからなくていい。でも、「今日は、なんとなくいつもと違うね」というようなことを男が言ってくれると、「フフフ、わかる?」と、とたんに気をよくするものだ。

とにかく、女とは化粧で変わるものだ。外見はもちろんだが心も変わる。化粧に対するちょっとしたほめ言葉があるかないかで、その「ご機嫌」は天と地ほどに開く。だから、今の時代、その「影響力」の大きさを、男もぜひ認識しておくべきだろう。そして、少しでも違いに気づいてやるように努めてほしい。

22 普通に接したつもりがセクハラと騒がれた、なぜだ？

★〝脳の感度の違い〟からくる誤解

「へえ、君って化粧うまいんだね」と女に声をかけたら、セクハラと騒がれたという話がある。まあ、男としては単に軽い気持ちで女の美しさをほめたのだろうが、それでは全然ほめたことになっていない。「ならばスッピンは見られないってわけ？」とくる。スッピンを見られたくないから化粧するのに怒るのは矛盾だ。言われた男は訳がわからず口があんぐりだ。

しかし、男にとって、これは笑いごとではない。

そもそもこれは、男と女の脳の情動センサーの感度の違いからくる誤解だ。先に前交連という「感情の通路」が女のほうが太いことに触れたが、これは女のほうが情動情報に対するセンサーが敏感にできているということ。だから、情動に鈍感な男がふと口にした配慮のない言葉に、女が予期せぬほど過敏に反応してしまうことはあり得る。特に、過去において男から嫌な経験をさせられたことがある女は、その嫌な記憶やイメージを勝手に増幅させて拡大解釈してしまう傾向が強い。それで、男としては普通に接したつもりでも、女の機嫌を損ねたりセクハラととられたりすることになってしまうわけだ。

でも、たとえ脳の構造の違いからくることとはいえ、このようにいつもいつも過剰反応をされては、男は女に対して冗談のひとつも言えなくなってしまう。それどころか、どう反応されるかと思うと安易に声すらかけられず、何を話すにもピリピリと警戒しながら話をするようになってしまうだろう。

それでは、男と女の距離はいっこうに縮まらず、むしろどんどん離れていってしまう。だから笑いごとでは済まされないのだ。

◆もてる男は「セクハラ」と騒がれない

では、いったいどうすればいいのだろうか。

男に必要なのは、まずその「嗅覚《きゅうかく》」に磨きをかけることだ。

これは、簡単に言えば、「この女はどこまで冗談が通じるのだろう」という意識を常に働かせながら女と話すようにすることだ。女の「感情増幅装置」がどの程度反応するか、その振幅の度合いは人によって違う。ちょっとした卑猥《ひわい》な冗談が通じる女もいれば、通じない女もいるのだ。だから、少々めんどうでも、その女がどの程度の振幅の持ち主なのかを気にしながら話をするようにすることだ。

それは、その女が「どの程度まで許すのか」を探るための嗅覚だといっていい。つまり、どこまでならやらせてくれるのか、どこまでなら受け入れてくれるのかを探る「オスの嗅覚」と同じなのだ。

その嗅覚センサーが発達している男は、女の許す限界点がどこまでなのかを探り出すことに対して労を惜しまない。言葉を巧みに使い、その言葉に対する女の反応を逐一観察して、「どこまでならいけるのか」を引き出そうとする。そして、「これが限界点だ」と思えばそれ以上踏み込むことはないし、「もっといける」と思えばジャブで様子を見ながら少しずつ相手の射程距離内に踏み込んでいく。

だから、もてる男は、ほとんど「セクハラ」と騒がれない。もてる男は、女を値踏みする嗅覚が鍛えられている。その嗅覚センサーのもと、女との距離感を計ることに慣れているから、相手からパンチをくらうことも少ないのだ。

ところが、最近はこうした女の出方を探る手間ひまをめんどうがって怠る男が多い。これでは、相手との距離感も計らずに何の考えもないままパンチを繰り出しているようなものだ。当然ながら、女は相手への警戒心をなかなか解くことができず、否応《いやおう》なく身を守るための対応策をとることになる。だから、めんどうがって嗅覚を働かせない男は、不用意にカウンターパンチを食らいがちなのだ。

◆話をしなければわかりはしない

これに対し、女に必要なのは、「感情増幅装置」が作動してしまうのをなるべく抑えることだ。男の罪のない言葉が被害妄想ともとれるくらいに拡大解釈されてしまうのは、その多くは過去に嫌な記憶があり、「また嫌な目に合うかもしれない」という不安や警戒心が増幅されるためだ。その不安が自己防衛的に働き、男の言葉に対する拒否反応として表れる。つまり、傷つけられることを怖がっているのである。

こうした回路を変えるためには、本当は男と話すことが楽しいという「いい経験」を積み重ね、マイナスの記憶にプラスの記憶を上塗りしてしまうのがいちばんいい。それには本人が恋をするのがいちばん有効だが、一種のイメージ・トレーニングをするのもいい。プラスの記憶を積み重ねて警戒心を解くことができれば、身を守るとげとげしい鎧《よろい》を脱ぐことができるはずだ。

だから、女は男と話すのを必要以上に怖がってはいけないし、男は女と話す手間ひまをめんどうがってはいけないのだ。もっとも悲しむべき事態は、男女が「話すこと」をあきらめてしまい、言いたいことも言えなくなることだ。お互いが「話す」ことを敬遠し、ぶつかることを怖れていては、何も生まれない。男と女が積極的に「話をしよう」という共通の土俵に上がらなくては、それこそ話にならないのだ。

あえて「話せばわかる」とは言わないが、話をしなければわかろうとしようにもわかるわけがない。大切なのは、お互い「話すこと」をあきらめないことだ。

男と女は違っているからこそおもしろいし、予想もしなかった展開が生まれる。話が擦れ違うからこそ、その壁を乗り越えていくことによって世界が広がる。お互いの違いを知り、その特徴を知れば、「セクハラ」という問題はもっと減るのだと思う。

23 女はなぜ、自分だけ「いい子」になりたがるのか？

★女は「周囲の期待」を裏切れない

小学校時代、クラスに何かもめごとが起こると、必ず女の子のひとりが先生にいいつけに行ったものだ。そして、その構造は、小学校のクラスが会社組織になったとて、そう変わるものではない。誰に対してもいい顔をして、誰からも認められる文句なしの優等生。何らかのトラブルに巻き込まれそうになっても、自分だけは素早く安全地帯を見つけて責任を免れる。そのくせ、自分の手にあまることがあると、都合のいいときだけ、甘えてきたり頼ってきたりする――〝女ってやつは、どうしてこういつも自分だけ「いい子」になりたがるんだ〟と内心苦々しく思っている男もいるかもしれない。

「優等生のいい子」の女が多いのには、周囲の環境が「いい子」であることを望んでいるという背景もあるだろう。

女は子供のころからその周囲の期待に必死に応《こた》えようとする。小さいころは「よく言うことをきいて親からほめられるいい子」であり、学校に入れば「よく勉強をして先生からほめられるいい子」。そして、大人になってからも、「よく仕事をして上司からほめられるいい社員」であり、「いい妻」「いい母」であり続けようとする。

先にも述べたように、女は他人が自分に対して下す評価を常に気にかけ、集団のなかでの自分の立場を維持するべく、脳の自己評価に関する回路を発達させてきた。女にとってそうした自己評価は何ごとにも優先して守られるべきものであり、だから、女は周囲の環境が自分に「いい子」であることを求めるならば、その期待に応えようとひたすら努力する。また、その反面、「期待される役割を果たせなかったらどうしよう」「自分の評価を落とすのではないか」という不安も強く抱くようになる。

つまり、「周囲からの期待」を裏切ってはいけないという強迫観念に縛られ、「いい子」として振舞うことが、ほとんど習慣のように染みついてしまっているというわけだ。

◆女が疲れをためやすい「タイプE行動パターン」とは?

しかし、いつも「いい子」でいるということは、結構疲れることである。

他人からほめられたい、評価されたいという思いから、ついついがんばりすぎてしまい、山のようにストレスや疲労をためこんでしまう女も少なくない。

これについて、おもしろい研究があるので紹介しておこう。

それが、「タイプE行動パターン」。女が心身に疲労をためやすい行動パターンのことだ。なぜ、「E」なのかというと、「みんな（Everybody）」のために「なんでも（Everything）」がんばろうとしてしまうからだという。これは、米国の女性心理学者、ハリエット・ブレイカーが唱えた説。女にはもともと「人からよく思われたい」という意識が強く、そのために、仕事はもちろん、家事でも育児でも「みんなのためになんでも」引き受けて、奮闘努力する。しかし、がんばっているからといって、必ずしも周りから評価されるとは限らない。「タイプE」の女は、思うような評価が他人から得られないと、余計にがんばってしまい、挙句の果てに疲れ果ててしまうのだという。

つまり、「タイプE行動パターン」は、周りからの評価を気にして誰にでもいい顔をしてがんばってしまう「いい子」の典型ということができるだろう。

ちなみに男はというと、疲れるパターンがちょっと違う。周りの評価うんぬんよりも、他人との生存競争に生き残ろうとがんばるので、まっしぐらに突き進んだあげく、疲れて倒れてしまうパターンが多い。これはよく知られる「タイプA行動パターン」。いつも時間に追われ、競争心を燃やして精力的に仕事に取り組む一方、心筋梗塞《こうそく》や狭心症などの心臓病でバッタリ倒れる危険が高い。

すなわち、男は「タイプA」、女は「タイプE」。同じ過労で倒れるにしても、男はタテ社会の生存競争に疲弊し、女はヨコのつながりと評価を意識しすぎて疲れ果てる。男と女とでは「がんばり」が向けられるベクトルもだいぶ違っているというわけだ。

◆女はほめられることに飢えている

ところで、「いい子」タイプの女にとって、そのがんばりの原動力になっているのが、「他人からほめられたい」という願望である。

「他人からほめられる」ということは、つまり、自分の存在を評価され、認められるということだ。周囲からの評価に呪縛《じゅばく》されている女の脳にとって、これほどの快感はない。実際に、人からほめられると、ドーパミンをはじめとするさまざまな脳内物質が活性化し、脳回路をプラスに成長させることが知られている。他人からの「ほめ言葉」は、脳にとって最高の栄養なのだ。そして、「いい子」タイプの女は、子供のころからこの快感を求め、それを栄養にして育ってきた。親や先生からほめられたいがためにがんばってきたのだ。

これに対して男は自己満足が快感になる。女から見れば「なんであんなもの集めて楽しいの?」「なんでそんな面倒なこと好きなの?」と思われるようなものやことにはまってひとりで嬉々《きき》としている。「マニア」と呼ばれる人はほとんど男である。

⑨ タイプAとタイプEの違い

タイプA行動パターン

競争社会に
勝ち残るために
がんばる

特徴

- 競争心が強い
- 仕事に対して精力的
- いつも時間に追い立てられている
- 目標に向かって懸命にまい進する
- 攻撃的で他人に敵意を抱きやすい
- 加速度的な思考と行動をとる

↓

狭心症や心筋梗塞などの心臓病で倒れるリスク大

タイプE行動パターン

みんなのために
何でもがんばる

特徴

- みんな(Everybody)のためにがんばる
- なんでも(Everything)がんばる
- 人からものごとを頼まれると断れない
- 周りから評価されたいという思いが強い
- 「～しなければならない」という思いが強い

↓

心身に疲労をため、自律神経失調症などになるリスク大

さて、女にとって問題なのは、「いい子」にしているにもかかわらず、自分が周りからほめられなくなったときだ。

ほめられる機会は社会に出ると激減する。家庭や学校と違い、会社ではただがんばっているというだけでは評価されない。それが成果に結びつかないとほめてくれないのだ。また、結婚して家庭に入っても、家事や育児はできて当たり前。夫はもちろん、誰も自分のことを評価してくれないし、ほめてもくれなくなる。

誰からも評価されないということは、女としての存在価値にも関わる問題だ。なかには「どうせがんばっても、私なんか誰からも感謝もされなければ、評価もされない…」というように自己評価を下げてしまい、それが自律神経失調症やうつ病などのストレス疾患に結びつく場合もある。「いい子」で育ってきた女たちは、ほめられることに飢えているのである。

だから、女をほめることはとても大事。

とかく日本人の男は、女をほめるのがヘタだと言われるが、ちょっとした「ほめ方のコツ」を覚えれば、そんなに難しいことではない。

まず、女に対するほめ方の基本は、その人の「存在自体」を肯定する言葉をかけることだ。たとえば、「君がいてくれて本当に助かるよ」とか、「君がいてくれてよかった」というように、女がそこにいることの意義や価値を評価するほめ方をするといい。きっと、女は自分の評価の位置づけを再確認でき、失いかけた自信を回復することができるだろう。

そして、次に大切なのが、女の容貌《ようぼう》をほめることだ。「今日はなんとなく決まってるね」「その服、とても似合ってるよ」といったさりげない言葉によって、女の脳は、男には想像できないくらいの快感を得られるものだ。

また、もうひとつアドバイスをするなら、後々、あなた自身のトクになるようなほめ方をするといい。たとえば「君の笑顔は最高だね」とほめられれば、彼女は「いつも笑顔でいよう」という気になるだろうし、「君のこの料理は天下一品だね」とほめられれば、妻も「じゃあ、もっとおいしい料理をつくってあげよう」という気になるだろう。

女に対してのみならず、人をよくほめていると、後々それが自分にプラスの効果となって返ってくる。誰もそんなことを考えてほめているわけではないのに、結果的にそうなることが多い。これはこちらが相手に対して好感を持つと、相手もこちらに好感を持つことが多いという「相互好感」の法則である。相手に好感を持たれると前に話した「セクハラ誤解」は格段に減る。

自分自身のためにも、あなたも「ほめる技術」に磨きをかけてみてはどうだろうか。

24 「私と仕事とどっちが大切なの」と女が詰め寄る理由は？

◆仕事さえできればいい時代ではなくなった!?

男を見ていると自分の仕事がうまくいけば、仕事以外のことでも満足することができるように見える。

仕事が順調ならみんな順調。仕事さえうまくいっていれば、あとのことはどうにかなると思っているところがある。だから、他のことに目もくれずに仕事に専念する。そして、自分ががんばって仕事さえしていれば、それが妻や恋人の幸せにつながると信じて疑わない。

本来、「男の仕事」とは、そういうものだった。狩りから獲物を持ち帰り、肉を家族に与えていれば、自分の評価も家族の幸せも保証されるものだったのだ。

だが、今はそうはいかない。

男がすべてを犠牲にまでして一生懸命仕事をしなくても、女は十分生活できるようになった。飢える心配がなくなって、女が男に求める役割が変わった。仕事ばかりに目を向けている男に対し、「もっと自分のほうを見てほしい」と要求するようになったのだ。

そして、仕事ばかりにかまけている男に対し、女が決まり文句のようにいう言葉が「私と仕事とどっちが大切なの」とか「仕事と家庭とどっちを選ぶの」といったセリフだ。

きっと、あなたも困らされたことがあるのではないだろうか。

◆ワン・モードの男とマルチ・モードの女

「どっちをとるの？」と言われても、それは両方大切に決まっている。男にとっては仕事あっての恋人であり、仕事あっての家庭だ。その重さを天秤《てんびん》にかけられるものではない。

では女はどうして、そんな答えられないに決まっている質問をするのだろうか。

これには、まず男女の脳の集中の仕方の違いについて説明をする必要がある。

男は、たとえそれが遊びであろうが仕事であろうが、「ひとつのことに集中する」傾向が強い。テレビに集中して見入っているときに妻や恋人から話しかけられると、おそらくあなたは「少し黙っていてくれないか」という気になるだろう。それは、今取り組んでいることに神経を集中したい男脳の特徴だ。

男の脳は右脳と左脳の役割分担が比較的きちんとしていて、専門性の高いことを行なうのに向いている。だから、遊びでも仕事でも自分の興味のあることとなると素晴らしい集中力

を発揮することができる。男に「メカ好き」や「オタク」が多いのもこのためだといってい
い。だが、その反面、「それ以外のこと」を疎《おろそ》かにしがちになる。つまり、ひとつのことにかかりきりになりやすく、ふたつもみっつものことをいっぺんにすることが苦手なのだ。

これに対して女はふたつもみっつものことを同時進行でこなすことが得意だ。だから、テレビに集中しているときも手では料理をし、口では男に別のことを話しかけ、といったことが当たり前のことのようにできる。女にとっては、男がテレビに釘《くぎ》づけになってしまうと何も話さなくなることのほうが不思議なのだ。

いくつものことを同時にできるのは、右脳と左脳の連絡がよく、脳の広い領域を使うことができるからだ。女の脳は、いつもたくさんの情報のなかのどれとどれをとるかに対して考えをめぐらしているようなところがある。だから、遊びでも仕事でも、少しでも興味のあることなら何でも鼻を突っ込もうとする。このため、たくさんの情報を収集したり処理したりする仕事には大きな力を発揮するが、ひとつのことをとことん深めるようなことにはあまり向かない。ひとつのことを極めるには、あまりにあちこちに寄り道をしすぎなのだ。

要するに、男の脳は「ワン・モード」対応、女の脳は「マルチ・モード」対応にできているということだ。

ワン・モードの男にとっては、仕事をしているときは仕事がすべて。仕事中は、恋人の顔

を忘れることが当たり前の状態になる。しかし、マルチ・モードの女にとっては、仕事も恋も家庭もみんな並列上にあるタスク。たとえ仕事に集中していても、簡単に他のことに切り替えられ、同時進行も可能な状態になっている。男にとっては不思議な感覚だろうが、仕事や趣味に集中しながらも、24時間恋人の顔を忘れずにいることができるのだ。

つまり、「私と仕事とどっちをとるの？」といった文句は、「仕事」と「恋」を並列に考えられ、どっちも取れる女のズルイ質問である。時間的経過によってスイッチを入れ換える男にとってはそれをさも当然のことのように突きつけられたとしても、ただ困惑するしかないだろう。

無声映画の王様チャーリー・チャップリンは3回の離婚と4回の結婚をした。離婚の大きな理由はデートや約束のドタキャンだったそうだ。とことん映画制作にのめり込むチャップリンはデートも約束も忘れてしまい、気がついたときには予定時刻を大幅に過ぎていたとか。最後に妻となったウーナだけがチャップリンのそんな性癖を理解していて（諦めたのかもしれない）、ケンカにならなかったそうだ。

クリニックに来る女性患者さんのなかにも、

「夜遅く帰ってくる夫を待ってひとりで夕食をとる虚しさ」

「日曜日も会社の用事で呼び出されていってひとりで過ごす寂しさ」

を訴え、何のために結婚したかわからないと言う人がいる。

「この人と一緒にいる意味があるのだろうか」と女は考える。男は考えない。

「ひとりで好きなことすればいいじゃないか。困っていることはないし」というのが男の論理。

しかし、男もそんなこと言っていると、いずれ捨てられる。子はかすがいにならない。現代の女は子供を連れて家を出ること、子供と家に居座って夫を追い出すことなどたいして躊《ちゅう》躇《ちょ》しない。

◆「選ばれたい」願望を満足させてやる

では、男にはどんな対応策があるのだろうか。

まず、「女」と「仕事」のどっちを選ぶのかを答える必要はない。しょせんどちらかを選べといっても無理なのだから、別の答えを探すべきだ。

ひとつ作戦として考えられるのは、「私と仕事とどっちが…」という言葉の裏に隠れた女の気持ちを読むことだ。両方とも大切なことは、女にだってわかっている。選ぶのが無理なのをわかっていながら、どちらかを選べというようなことを言ってくるのは、女が心に寂しさや不安を感じているからだ。その気持ちにスポットを当てていくのだ。

そして、やはり肝心なのは「共感」することだ。女が今、どんな心情でその言葉を言っているのか、その「寂しさや不安」を汲《く》み取り、「共感」する姿勢をとるといい。たとえば、「寂しい思いをさせてごめん」「不安になるのも無理はないね。でも大丈夫だよ」といったように、とにかく女の心情をできるだけイメージし、先回りして共感していくようにするのだ。そうした姿勢をつらぬいていれば、いずれ女のほうも「この人は、ちゃんと私を見てくれている」ということになってくるはずだ。

また、「私か仕事かを選べ」ということは、結局は女の「選ばれたい」という願望の裏返しでもある。そもそも女は「選ばれる性」。「自分だけが選ばれたい」「自分が特別な存在であることを確認したい」ということにかけては、男がちょっと驚くくらいに強欲だ。だから、その欲求を十分に満足させてやり、安心感を植えつけておくことだ。

それも、できれば言葉だけではなく行動をもって示しておきたい。

遊園地に行くのでも、買い物につき合うのでもいい。たまには携帯電話の電源をオフにして、女に尽くす日を設けるといい。女の買い物につき合うのは苦痛以外の何物でもないと思っている人は、女はどんな物にお金を使うのか、マーケティング・リサーチと思えばよい。自分の仕事に役立つかもしれないし、日本経済の動向を知るチャンスかもしれない。

つまり、イヤなことでもどんなメリットがあるのかと考えれば、自分にとっても相手にとってもイイことにかわりうるのである。

そして、どんなに仕事が忙しくても、女の誕生日や結婚記念日などは必ず確認しておこう。そのためには年が明けて新しい手帳に替えたら、まず先に誕生日や記念日を記入しよう。携帯電話のスケジュール欄にも入力する。記念日を記憶していようなんて無理はしないほうがいい。どうせ忙しさにかまけて忘れるに決まっているから。ついでに自分の誕生日も入れて相手にアピールしよう。女はプレゼントをもらうのが好きだが、誰かにあげるプレゼントをあれこれ考えるのも楽しみのひとつである。「着てはもらえないセーターを編む」女もいるくらいだから。

なにしろ大切なのは、女が「やっぱり自分は特別なんだ」と思える状態をキープしておくことだ。その状態さえ維持できていれば、おそらく妻や彼女が「私と仕事とどっちをとるの？」などという世迷言《よまいごと》を言い出すこともなくなるだろう。

第5章

女を敵に回すか味方につけるかでは大違い！

男がおさえておきたい
「女対策のツボ」

25 女がブランドのバッグを欲しがるのはなぜか？

★男にとっては迷惑千万

いつの時代も女性は洋服やバッグなどの身を飾るものを欲しがるものだ。

特にそれが「ブランド物」となると、もう何かにとりつかれたように目の色が変わってしまう。なかには、同じような服やバッグを山のように持っているにもかかわらず、「新作だ」「レアものだ」といっては欲しがるような不とどきな女性もいる。

女性のこうしたモノに対する執着心は、男にとっては迷惑千万だろう。

自分のこづかいで買うのならまだいい。しかし、妻や彼女のしつこいわがままをきいて、いちいち買わされてはたまったものではない。とたんに財布が干上がってしまう。

それにしても、女性の服やバッグに対する熱の上げ方といったら、男が空恐ろしくなるほどだ。いったい、この迷惑なモチベーションは女性のどこから湧いてくるのだろうか。

それを解くカギは、脳内物質のドーパミンにある。

★女の脳はモノに対する欲望を高めやすい

何度も紹介したように、ドーパミンは「快感ホルモン」「期待感ホルモン」などと呼ばれ、人間の欲望や達成感と深いつながりを持つ物質だ。ドーパミンはいくつかの神経回路に沿って流れているが、買い物をしたり欲しいものを選んだりするときは、特に脳の「報酬系」と呼ばれる回路のドーパミンが活性化することがわかっている。

「報酬系」とは、手に入れられるかもしれない報酬を予測して快感を感じる回路。つまり、「あの服を着たら似合うだろうな」とか「このバッグを持ったら人からうらやましがられるだろうな」といった期待感をドーパミンによって高めている回路である。そして、実はこの報酬系回路、男の脳よりも女性の脳のほうが発達していて、欲望をより高めやすくできているのだ。

これには先に述べた「前交連」が関係している。この感情の連絡通路は、「好き・嫌い」「欲しい・欲しくない」などの欲望に関する情報も処理しているが、女性のほうがこの通路が太いためにより多くの情報を流せるようになっている。欲しいモノに関する情報をよりたくさん流せるわけだ。しかも、その前交連付近には報酬系のドーパミンが流れていて、広い通路を流れる情報に期待感や快感などの刺激を上乗せしやすくなっている。それによって

「あれが欲しい、これが欲しい」といった欲求がより増幅するのだ。

つまり、女性の脳はもともと「欲」に関する情報をたくさん流せるうえに、ドーパミンとのアクセスがいいために、その「欲」をふくらませやすくできているというわけだ。そして、こうした女性の「欲」の向けられる先が、服やバッグ、装飾品などの「モノ」なのである。これらのモノが欲しいとなると、女性はどんどんその欲求をエスカレートさせてしまう。そして、その欲求がふくらむほど、それを手に入れたときのドーパミンの快感も大きくなる。「買い物依存症」にハマるのは決まって女性だが、これもこうした報酬系回路が発達していることと無縁ではない。買い物をしたときの快感が忘れられず、またあの快感を味わいたいという気持ちからつい高額な買い物をしてしまう。そして、いつしか買い物をする行為自体が快感になっていってしまうのだ。

女が洋服やバッグをいくつもほしがる理由はもうひとつある。動物行動学では有名な話だが、オンドリは1日に60回も交尾する。しかし、同じメンドリとは1度に5回までが限度。ところが新しいメンドリが現れると、また交尾ができるのである。これを〝オンドリ効果〟と呼ぶそうだ。つまり、より多くの相手と交尾して、より多くの遺伝子を残そうとするオスの習性である。

しかし、人間のメスとしてはオスにそうそう相手を替えられては困る。自分の気に入ったパートナーを独占したい。なぜなら、1回に受精する卵子も精子も例外を除き、通常ひとつで、しかも1カ月に1回なので、いろいろもらっても困るからである。

そこで相手を自分に惹《ひ》きつけておく作戦として、洋服を替えたり、バッグを替えたり、はたまた髪形やメイクを変えて別のメスに見せかけているのである。つまり〝目眩《めくら》まし〟である。オスは別人と認識して何回でも交尾するという訳である。

男の欲はモノよりも、地位とか名誉、肩書き、そして金である。それは、そういうものを持っていると女が寄ってくるからである。つまり、オスのクジャクの羽と同じである。多くのメスが寄ってくれば、より多くの遺伝子を残すチャンスがある。

男は預金通帳の数字を見て目をキラキラさせ、「資産○億円」の評価に酔いしれる。女は「時価○億円」のダイヤを見て目をキラキラさせ、それを身にまとった自分の姿に酔いしれる。

脳のA10神経というところから出たドーパミンは前述の前交連を通り、感情の中枢である扁桃体《へんとうたい》、やる気の脳である側坐核《そくざかく》を刺激して、意志・創造の脳である前頭前野に伝達される。

結局、人間の行動はこの報酬系ドーパミンに支配されているといっても過言ではない。

★「ブランド好き」の本当の理由

さて、女性が欲張りな理由はおわかりいただけたことと思うが、男にはまだ納得のいかないであろう大きな不思議が残されている。それは、なぜ女性はああも「ブランド好き」なのかということだ。「シャネラー」だろうが「グッチャー」だろうが男にとってはどうでもいいことだろう。みんなと同じようなバッグをいくつもそろえて、いったい、どこがうれしいというのだろうか。

これには、次のような理由が考えられる。

先にも触れたが、共感能力が発達した女性は「他人からの評価」をたいへんに気にするものだ。自分と相手のどっちが優れているかを常に気にし、自分がその集団でどの辺に位置するのかを把握しようとしている。

特にそのチェックの目は、同じ女性に対して厳しく向けられる。どんなに親しい友人同士であれ、女性は常に周りの女性と自分とを比較して、その優劣に目を配っている。表面的には周りと合わせていても、水面下では「あの女性なら、私のほうが勝ってる」「あの女性には少し負けてる…」といった意識が働いているものなのだ。

そして、その優劣を決める判断において、もっとも価値ある指標になっているのが、服や

⑩ 欲求がエスカレートするメカニズム

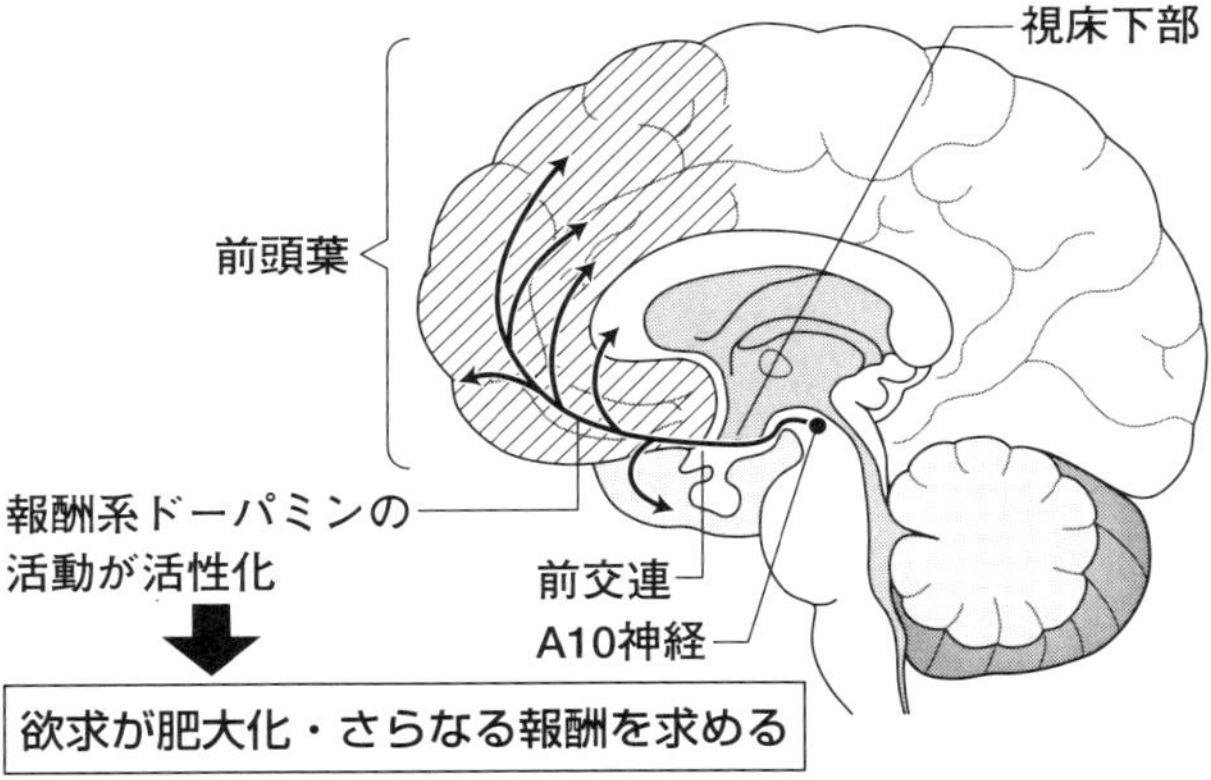

バッグ、装飾品などの身を飾るものなのである。なかでも、ブランド物を持つということは、他人から認められるステータスになっているといっていい。つまり、女性にとってブランド物の服やバッグは、自分の評価水準を保つための道具。「このブランド物のバッグを持っているから、私はそれだけ価値のある女性なんだ」ということを、周囲に知らしめたいわけだ。

また、女性が周りと同じようなブランドの服やバッグをそろえたがるのにも理由がある。

採集狩猟生活時代、男が狩りに出た後の村を守る女性にとっては、女性同士のコミュニティの結束を固めることが不可欠だった。そのコミュニティでは、女性のファッションは「ヨコ並び」が原則。なぜなら、ひとりだけ目立とうものなら、すぐに「男の目を引きつけようとしている」ととられ、ほかの女性たちから仲間はずれにされてしまうからだ。仲間はずれにされることは、この時代においては死を意味する。だから、女性は身を飾ろうとはしつつも、常に他人のファッションに目を配り、周りの仲間とあまりかけ離れないよう、細心の注意を払わなければならなかった。つまり、女性たちがみんな似たようなヘアスタイルをしたり、流行の服に身を包んだり、同じようなブランド物を欲しがったりするのは、「周りとかけ離れてはいけない」という防衛本能が働いているからなのだ。

でも、みんな「まったく同じ」だったらつまらないし、「少しでも差をつけたい」という女性の「見栄」がおさまらない。だから、女性たちの「差をつけるポイント」は、細部へ細部へと注がれていく。たとえば、同じように見えるバッグでも、この限定生産品は留め金がほかのと違っているとか、同じような化粧品でも、これはブランドの「新作」だとか、みんな同じブレザーを着るから、下に着るTシャツを派手にしようとか。基本的に周りと同じようなものを持とうとしながらも、少しだけでも細部で差をつけてやろうと腐心するのである。

男からすれば、「なんてバカらしい…そんなことで差をつけたって、男は誰も気がつきやしないのに…」と思うことだろう。しかし、その小さな優越感によって、女性は大きな満足を得ることができる。そして、そのバカらしい満足のために、男はしぶしぶ金を払わされるというわけだ。

★女はプレゼントで育つ

では、こうした女性の際限のない物欲に対して、男はどう対処すればいいのだろうか。もちろん、ブランド物のバッグをいくつも買ってやるようなことはしなくていい。だが、やはり女性の「見栄」のために、多少は金を出してやる姿勢が必要だろう。

そもそも、「モノを買う」「モノをプレゼントしてもらう」といった行為は、脳を大いに活性化するものだ。欲しいモノを買うとき、女性の目がふだんより輝きを放っているのはドーパミンがその勢いを増している証拠。先にも述べたように、こうしたドーパミンの快感刺激は、脳が回路をプラスに成長させる「プラスティシティ（可塑性）」という力を高めてくれる。つまり、欲しいモノを手に入れる「喜び」が、脳の前向きに考える力を育ててくれるわけだ。

だから、妻や女性との関係を円満にするためにも、こうした「喜び」を、たまにプレゼントしてやるほうがいい。ただ、欲しいモノがいつでも当たり前に手に入るような状況では、ドーパミンはあまり出ないし、脳も活性化しない。なぜならドーパミンはいつも出ていると感受性が鈍ってしまうからだ。よって、そういつもプレゼントを与えてはいけない。あくまで「たまに」であることが大事だ。

良くも悪くも、女性はプレゼントで変わるもの。結婚記念日や誕生日…そうした「たまの節目」でいいから、かねてから妻や彼女が欲しがっていたブランド物をプレゼントしてみてはどうだろう。その喜びは、女性の脳を大きく育てる。そして、それによってあなたの「男としての評価」もグンと上がるはずだ。

26 女がメニューを選ぶのに時間がかかるのはなぜか？

★「あれがいい…でもやっぱりこっちにする」

女性の脳は「選ぶこと」が苦手だ。

いくつかの選択肢から、なかなかひとつを選べない。だから、女性は、「ねえ、ねえ、どっちがいいと思う？」「私、決められないから、あなたが決めて」といった言葉をよく口にする。

彼女や妻とレストランに入ったとき、メニューさえなかなか決められないパートナーに対して、イライラした経験のある男もきっと多いことだろう。

「これおいしそう。でもやっぱりこっちにしようかな…」と、さんざん迷ったあげく、食事をしはじめてから、「ああ、失敗した…やっぱり別のほうにしておくんだった…」などとやられると、「もういいかげんにしろ！」と言いたくなるに違いない。

いったい、なぜ女性はどうでもいいことでこんなにも迷い、自分でひとつのことを決めることができないのだろうか。

★女は「選ぶ」よりも「選ばれたい」

女性がひとつのものを決められないのには、先にも述べたように、本来的に欲張りであることが関係している。女性は基本的には「ひとつ」ではなく「全部」欲しいのだ。本当は全部の料理を味見したいのに、「ひとつ選べ」といわれるとジレンマに陥ってしまう。これは、オスを選ぶのも一緒だ。受け入れられる遺伝子はひとつ。だから、なかなか選べない。したがってその遺伝子に決めていいかどうか、あれやこれやと手管を用いて試そうとするのである。

また、女性が選ぶことが苦手なのには、そもそも女性が「選ぶ」よりも「選ばれる存在」になりたいと思っていることが影響しているといっていい。先にも述べたように、生物界は一般的にメスがオスを選ぶ「フィメール・チョイス」であるのに対して、人間の社会は表面上オスがメスを選ぶ「メール・チョイス」の形をとっており、女性は「選ばれる」ために男を惹きつけるあれこれの戦略を用いるようにインプットされているのである。

さらに、多くの哺乳類《ほにゅうるい》のメスが発情期と排卵時期が一致しているのに対し、人間の女性だけは唯一「いつ排卵するかが自分でわからない」動物だ。いつ排卵するかわからないということは、妊娠するかしないかを自分で決められないということ。もし、妊娠したくないなら性行為を拒否するか、もしくは排卵そのものを止めてしまうしかない。そこには「拒否権」はあっても「選択権」がないのである。

その典型が男にとって魔訶《まか》不思議な病気「拒食症」である。「食べる」という最も本能的な欲求を抑えてまでして、どうなりたいというのか。そんなにやせてどうするんだといいたい病気である。「拒食症」は「拒否権」の発動なのである。自分では選ぶことのできない「妊娠」という体の変化を受け入れるだけの精神的成熟度に達していない場合、モノを食べずに脂肪を減らして排卵を止めるのである。排卵しなければ絶対に妊娠はしない。いつまでも子供でいられるのである（皮下脂肪量と排卵は関係している）。

男は生殖に関しては「選択権」である。子孫がほしければ射精するし、ほしくなければ射精しなければよい。モノを食べないでどうのこうのはない。

逆に言えば女性がどんなに子供がほしくても、男が射精してくれなければ妊娠はできない。だから女性は「プロポーズ」を待っている。

すなわち、やはり女性は「受け止める性」であり「選ばれる性」なのだ。女性にとっては「選ぶ」ことよりも「選ばれる」ことのほうが優先課題であり、だから、本能的に「選ぶ」よりも「選ばれる」側の立場でものを考えてしまうのだろう。

要するに、「選ぶ」よりも「選ばれたい」。

女性は選ばなくて済むのであれば、どちらかといえばそのほうがラクなのだ。いざ「どれを選ぶ？」となれば迷ってしまうことは自分でもわかっている。だったら、「選ぶ側」でなく「選ばれる側」に回ったほうが、めんどうくさくなくていいのである。

★女はつまらないものを「ため込む性」

また、「選べない」ということは、「捨てられない」ということでもある。

捨てられないと、不要なものがどんどんたまっていく。たとえば、キッチンの引き出しを開けてみよう。スーパーのビニール袋、商店街の割引スタンプやチラシ、去年の福引セールの引換券…「おいおい、こんなもの、いつまでもとっておいてどうするんだ」というものがたくさん出てこないだろうか？　そういえば冷蔵庫の奥にも、とっくに賞味期限が切れたような食材がごろごろしている…。

そう。女性というものは、本来的に「ため込む性」なのだ。体も脳も「ため込みモード」に設定されているといっていい。

よく、冬山で遭難したら女性のほうが体力が長持ちするといわれる。これは、飢餓や寒さに耐えられるよう体が皮下脂肪をため込みやすくできているためだ。これと同じように、女性は何に対しても「将来、いつ苦しい目に合うかもわからないから、いまのうちにたくさんため込んでおこう」とする。

たとえば、目の前においしそうな実がたわわになった木があったとする。すると女性はいまのうちにできるだけ採っておいて、いつか食べ物に困ったときのためにためておこうと考えることだろう。また、たとえいまは不必要なものでも、「いつ必要になるかわからない」と思ったものは、とりあえず何でも引き出しに入れてため込もうとする。お菓子の入っていた缶、きれいな空き瓶、端切れ、まだ使えるかもしれない電池…そんな〝ガラクタ〟を、「あれも捨てられない」「これも捨てられない」とため込み、いつしか引き出しは「いつ必要になるかわからないけど使われないモノたち」で一杯になっていく。「モノは捨てたあとすぐ必要になる」というマーフィーの法則に縛られているのだ。

こうした女性の「ため込み癖」は、脳の情報処理の仕方にも顕著に表れる。

必要なものも不要なものも、女性はその情報をとりあえずインプットする。いまは不要な情報であっても、それがいつ必要になるときがくるかわからない。だから、とりあえずたくさん採っておいて、いつでも取り出せるところにしまっておこう――女性の脳は、そうした感覚で、つねに頭のなかの引き出しを情報で一杯にしようと働くのだ。

まあ、それができるのも、女性の脳がたくさんの情報を処理できる能力を備えているからだ。先にも触れたが、女性は左右の脳の両方を使って情報を処理しているために、より多くの情報量を扱うことができる。だが、どうでもいいような情報を集めすぎて、しばしばどれが必要で、どれがいらないのかさえ皆目わからないような状態になる。頭の中がキッチンの引き出しと同じような状況になってしまうわけだ。

だから、「ため込んだもの」をきちんと「出す」ことは、女性にとってたいへん重要なことだ。こうした面からも、女性がしょっちゅうおしゃべりをして、ため込んだ情報をこまめに吐き出しているのは、必要不可欠なことだと言える。女性のおしゃべりは脳の引き出しの在庫一掃セールのようなもの。つまらないことをいつまでもしゃべっているようでも、それは女性にとってため込んだ情報をアウトプットする貴重な場なのだ。

考えてみれば、女性というものは、つまらないことをたくさんため込んで、つまらないことをたくさん吐き出すようにできているのかもしれない。

「選べない」から「捨てられない」。「捨てられない」から「たまる」。「たまる」から「しゃべる」。そして、「しゃべる」ためには多くの情報を入れることが必要になり、また捨てられない情報がどんどんたまっていく——男にはなかなか理解できない感覚かもしれないが、この「たくさんの情報の出し入れ」が、女性の脳の特徴なのである。

27 女はなぜ、どうでもいいことですぐクヨクヨするのか？

★女はストレスをキャッチしやすい!?

前の項目で、女性は「つまらないものをため込む性」だと述べたが、その「つまらないもの」の代表がストレスだ。

きっとあなたも、「どうして女性は、どうでもいいような小さなことで、すぐクヨクヨするのか」と不思議になったことがあるだろう。「課長に小言を言われた。あの人は私を嫌っているのかもしれない…」とか、「プレゼンで緊張して恥をかいた。この仕事はやっぱり私には向いていないのかもしれない…」とか、「近所の主婦仲間のお茶会に私だけさそわれなかった。仲間はずれにされたのかもしれない」とか。あるいは一見矛盾と思われる行動をとることもある。美容院に行くのに「美容師さんに変に思われるといやだから前もってシャンプーしていこう」とか、デパートに洋服を買いに行くときに、着ていく洋服選びに迷っているとか…挙げ始めたらキリがない。

もちろん、ストレスに強い女性もたくさんいるし、ストレスに弱い男もいる。だが、女性のほうが日常の瑣末《さまつ》なことでストレスを感じやすい傾向があるのはたしかだ。

それには、次のような脳のメカニズムが関係している。

そもそも、ストレスを促進させるのは、脳の扁桃体という場所だ。ここは、「好き・嫌い」「安心・不安」「うれしい・悲しい」「つらい」「怖い」といった情動を判断するところで、特にマイナス面の考えをふくらませやすい。そして、女性はこの部分の感受性が男の2倍あるといわれている。だから、どうでもいいような些細《ささい》なことでも、ちょっと不安を感じると、それをストレス情報としてキャッチしてしまうのだ。

また、この扁桃体からの情報を流すパイプ役を果たしているのが前交連。先に紹介したように、女性の脳はこのパイプが太く、いっぺんにたくさんの情動情報を流すことができる。キャッチされたストレス情報は、この太い「通り道」に出ることで、勢いを増したりかさを増したりする。それで必要以上に不安を強めてしまったり、勝手に否定的な思い込みをふくらませてしまったりするのだ。

つまり、女性の脳は、日常のこまごましたことを、いちいちストレスとして受け取りやすく、しかもそのストレスを増幅させやすくできているのだ。さらに、そうしてため込んだストレスを抑えるには脳内物質のセロトニンが必要だが、女性はこのセロトニンの分泌量が男より少なく、生理周期の影響を受けるために分泌のリズムも不安定ときている。

男から見ればどうでもいいようなつまらないことで、女性がすぐにクヨクヨするのは、こうした厄介な脳の構造を持っているせいなのである。

★女はストレスのセンサーが敏感にできている

ただ、日常の瑣末な出来事にストレスを感じやすいといっても、それは「女性はストレスに弱い」ということにはならない。ストレスに弱いのは、むしろ男のほうかもしれない。

なぜなら、女性が小さなストレスに反応しやすいのは、言い換えれば、ストレスに対するセンサーが発達しているということだからだ。この敏感なセンサーのために、女性はストレスがまだ小さな段階から心や体にあれやこれやと不調を訴える。女性はいつも「あれが不満だ」「ここが痛い」といった小さな不調を何かしら抱えているものだ。ただ、そうした不調を日常的に訴えている代わりに、そのストレスが大病や死に結びつくようなことは比較的少ない。

そこへいくと、前交連のパイプが細くストレス察知能力の低い男は、少々のストレスでは心身の不調を訴えない。しかし、かえってそれがあだになり、気づかないうちにどんどんストレスをため込み、うつや過労死になるまで自分を追い込んでしまう傾向がある。気づいたときにはもう手遅れというくらいにストレスを大きくしてしまうのだ。

つまり、女性がストレスに敏感なのは、ストレスが大きくなるのを防ぐ危機管理機能のひとつ。ちょっとした不安にも機敏に反応することで危険信号を発し、ストレスが取り返しのつかないほど大きくなるのを予防しているわけだ。とかく女性はクヨクヨ、グチグチと不調を訴えるものだが、それによって男よりも丈夫で長生きをするしくみになっているのかもしれない。

★女の悩みのタネは今も昔も人間関係

このように、男性と女性とではストレスの感じ方も訴え方も違うわけだが、どんなことに対してストレスを感じるかにも多少のズレがある。

男がストレスを感じやすいのは、単純に仕事の能力の格差だ。これは大昔でいえば狩りの腕前、現代でいえばどれだけ稼ぐかという問題。つまり、どれだけ家族を養えるかだ。だから、仕事がうまくいかなくなったり、仕事のプライドを否定されたりすると、男はわりとたやすく傷つき、ストレスを抱えこんでしまうことが多い。

これに対し、女性がストレスを感じやすいのは、何といっても人間関係の問題だ。先にも触れたように、採集狩猟生活時代、女性は、そのコミュニティのなかで自分がどれくらいの位置にいるのか、自分を嫌っている人はいないか、自分はどれくらい評価されているのかといったことを常に気にしながら生活してきた。女性が子供を産み、育てていくためには村の平和な環境が不可欠だ。もし、仲間から嫌われでもして村の外に放り出されたら、子供も育てられないし自分も生きていけない。だから女性は、集団の平和を乱さないよう対人関係に細心の注意を払い、自分に対する他人の評価をつねに気にしてきたのだ。

上司や同僚との関係、なかなか評価されない仕事や家事、嫁姑《しゅうとめ》の確執、ご近所づき合い……そうした人間関係の問題に女性がいつも頭を悩ませているのは、コミュニティのなかでの「自分の居場所」を守ろうとする本能が働いているせいだろう。

つまり、女性は「和を以《もっ》て貴しとなす性」なのだ。所属する集団のなかでもめごとや争いごとが起こるのを常に警戒し、目を凝らし、耳をそばだてている。そして、いざ何らかの問題が生じると、その狭い社会の平和をどうやって回復し、どうやって自分の居場所を維持するかという悩みで頭を一杯にしてしまう。それで「ああでもない、こうでもない」と堂々巡りの迷路にはまり、次第にそのストレスを増幅させていってしまうのだ。

おそらく、あなたも女性の口からこうした悩みを聞かされることがあろう。

きっと、男からすれば、「こんな狭いコミュニティのなかで何をそんなにグチグチと悩んでいるんだ」というように感じられるはずだ。

コミュニティのなかの狭い人間関係しか見えていない女性と違って、遠く狩りに出る男はコミュニティの外の状況がわかっている。だから、もっとグローバルな視点で問題の所在を見ることができるのだ。

だから、もし女性が（ただ聞いて欲しいだけのグチではなく）本当に悩んでいると感じたら、その迷路からいったん外に出してやるべきだ。たとえば「僕がいれば、別にそのコミュニティの外に出たって怖くないよ」とか、「向こうの高い山に登ってみれば、いま悩んでいることもまったく違って見えてくるはずだよ」などと言って、さりげなく彼女を狭い世界から外へ連れ出してやるといいだろう。

一歩、ワクの外に出てみれば、景色はまったく違って見えてくる。そして、立つ視点が変われば、意外なところに問題の解決策があることに気づくものなのだ。それに気づかせるのが男の役割だと思う。

28 女はなぜ、トイレや給湯室で毎日ひそひそ話をするのか？

★女型の会話スタイルとは？

女性の友達同士が街で偶然バッタリ顔を会わせたとしよう。


「キャー、久しぶり！」

「キャー、○子じゃない、ワー、偶然！」

「すごーい、こんなところで会うなんて」

「ホント、すごーい、ねえ、ねえ、どこ行くの？」

「うん、ちょっとダンナと待ち合わせ」

「ウソーッ、いつ結婚したの？」

「エーッ、知らなかったー？　それがね…」

この「すべてが感嘆詞で構成されたような会話」にあなたはついていけるだろうか。

このように気心の知れた女性同士が集まると、とかくキャーキャーと見境なく盛り上がるものだ。それが公共の場所だろうがおかまいなし。その嬌声《きょうせい》が周囲の人の眉《まゆ》をひそめさせていても目に入らないことがしばしばある。「三人よれば姦《かしま》しい」のである。

男にしてみれば、ただ久しぶりに会っただけのことなのに、なぜそんなに大げさな表現が必要なのか、なぜそんなに盛り上がることができるのかが不思議だろう。

しかし、これが女型の会話スタイルであり、共感のスタイルなのだ。

女性が女性と話をするということは、相手と自分の関係性をお互いに確認し合うということだ。自分と相手を比べつつ、そのポジションを確認できる言葉を引き出さなくてはならない。ポジションを探り合うためには、まずお互いのテンションを合わせ、同じチャンネルで話をすることが必要だ。そして、そのチャンネル合わせのためには相手の反応をオウム返しにするのがいちばんいい。だから、相手が「ねえー！　聞いた、聞いたー!?」と高いテンションで話してきたなら、自分も「エーッ？　なに、なにーっ!?」と、高いテンションで受けなければならない。女性同士の会話では、それが暗黙のルールのようになっている。

それで、周りの迷惑も顧みず、大音量で話に盛り上がるような事態になるというわけだ。

このように、女性同士が寄り集まると、そこに独特の空間が生まれるものだ。

特に女性が3人以上になると、必ずと言っていいほど「女性だけの暗黙の了解」のもとに話をするような、不思議な「連帯」が生まれる。「男にはわからないわよねー」「ねーっ」といった具合で妙なまとまりを見せ、「ひそひそ話」を始めるのだ。そして、何か男が容易に近づけないような空気を自然につくってしまう。

そこにはもう男に介入できる余地がない。介入しようにも、「入ってきてくれるな」という空気がかもしだされている。つまり、群れをなした女性は、無意識のうちに男が立ち入れない「見えない壁」を形成するものなのだ。

★女はなぜ連れ立ってトイレに行くのか？

おそらく、女性は本能的に女性だけの集まる「群れ」のなかにいると安心するのだろう。

その代表がトイレや更衣室、給湯室である。

女子トイレや更衣室、給湯室などで、何人かの女性の社員が固まってひそひそ話をしているのはどこの会社でも見る光景だ。そこには、女性だけがわかる「連帯」の空気がある。こうした場所は、女性同士がお互いの持つ情報を交換し、関係やつながりを確認することができる守られた空間。つまり、公然とお互いのポジションを探り合える貴重な場なのである。

特にトイレは、女性にとって一種の「聖域」だといっていい。男には単なる「排泄《はいせつ》の場」

かもしれないが、女性にとってはコミュニケーションの場であるのはもちろん、化粧を直す場でもあり、生理など自分の体調を知る場でもある。女性はここでつかの間の安息を得て、自分自身をリセットする。トイレは、女性がつくろわずに女性をさらけ出すことのできる、文字通りの「レストルーム」なのだ。

女性はこの休憩所で、鏡を見ながら自分の容姿を確認し、友人と語りながらお互いのポジションを確認し合う。そして、群れの仲間の女性や男のうわさ話に花を咲かせる。その話に加わっていないと、話題に乗り遅れたり、大切な情報を聞き逃したりする場合も多い。そのため、女性は、このコミュニケーションの場に「自分だけがいない」ということに大きな危機感を感じる。

だから、女性は連れ立ってトイレに行く。小学生の女子は仲良し同士が固まってトイレに行くし、大人の女性でも、ひとりが「トイレに行く」と言い出すと、「私も行く」「私も」と次々に手が挙がり、「じゃ、みんなで一緒に行こう」というようなことになる。トイレだけではない。女性同士で固まってお昼を食べに行ったり、女性同士で示し合わせて一緒に帰ったりするのも同じ理由からだ。

先にも触れたように、女性同士の群れ仲間からはずれることは、女性に本能的不安を呼び起こす。だから、トイレもランチもみんな一緒。女性は、女性同士の群れからはみ出したり取り残されたりすることが怖いのだ。

★女はテレパシーでつながっている？

このように、「群れる」ということは、女性にとって特別な意味を持つ。

女性が寄り集まれば、そこに連帯の空気が生まれ、男を介入させない「見えない壁」ができ、女性同士だからこそ通じ合える「共感の輪」が生まれる。しかも、みんな同じ共感スタイルを持ち、暗黙の了解のもとに話せるから、理由を挙げたり説明したりしなくとも「なんとなく」通じ合うことができる。

これはまるで、男にはわからないテレパシーでつながっているようなものだ。

だから、女性はこの「共感」をわかち合える群れのなかにいることが、たいへん居心地がいい。そして、この居心地のいい場所を失いたくないから、女性は常に群れの仲間の動向を気にする。つねにとなりをヨコ目で眺め、自分のポジションや評価を確かめ、目立った行動を控えて仲間から嫌われないようにし、うわさ話などの情報にも注意を払わなければならないのだ。

女性にとって、それはそれでたいへん骨の折れることなのだが、「群れ」という自分の居場所を維持し続けるには、どうしても必要な「仕方のないこと」なのである。

ところで——。

脳のなかには、「ミラー・ニューロン」という神経細胞がある。

これは、他人の行動を見て、自分の行動をどうするかを判断する神経細胞。他人の行動をまねたり、思いやりや理解、同情などを示したりするのにも、この神経細胞が重要な働きをしているといわれている。つまり、人間の共感能力に深く関わっている脳細胞だ。

このニューロンは、まだ発見されてから日が浅く、詳しい研究は進んでいない。だが、ひょっとしたら、女脳はこの「ミラー・ニューロン」が発達しているのかもしれない。

共感を得るためには、相手が自分を映す鏡となってくれ、自分も相手を映す鏡になることが必要だ。女性は、自分と同じような姿をした相手の鏡に自分が映っていると安心する。そして、自分が映っていないと不安になる。だから、本能的に同じ姿を映す群れを求め、その群れからはずれないよう、常に他人の鏡をのぞいては自分の姿を確認しているのだろう。

女性が女性の群れのなかで生きていくには、おそらくそうした「鏡」が不可欠なのだ。女性が群れてキャーキャー騒ぐのも、互いの鏡に互いを映し合っているのがうれしいからなのかもしれない。

29 女は不満があると、なぜ、固まって反撃してくるのか？

★女は「群れ」の力を利用するもの

あなたは小学生のころ、クラスのちょっと気になる女子を、からかって泣かしたことはないだろうか。そんなとき、決まってその子と仲のいい女子が3、4人結託して文句を言いにくる。「○○君ったら、○○ちゃんのこと泣かしたでしょ。ゼッタイに先生に言いつけてやるから！」と反撃してくるのだ。

この図式は、大人になってからもそう変わらない。

会社組織でも、待遇や人間関係などの問題で自分たちの扱いに不満があると、女性の社員は女性同士結託して不満を訴えてくる場合が多い。

また、女性の多い家庭では、妻と娘などが連合を組むこともある。共同戦線を張って、やれおならがくさいだの、やれディズニーランドに連れていけだのとやられた日にはたまったものではないだろう。

なぜ、女性はこう徒党を組んで文句を言ってくるのだろうか。

前の項でも述べたが、女性にとって「女性同士の群れ」の存在はかけがえのないものだ。

女性たちは群れの力をよく知っている。

女性はひとりでいるときは「ひとりの女性」だが、ふたりになり3人になり、グループを形成するにつれ、大きな力が得られることをひとりひとりよくわかっている。これも先に触れたが、採集狩猟生活時代、女性は「フィメール・ボンド」と呼ばれる絆《きずな》の強い集団を形成し、男が狩りに出た後の村を自分たちで守ってきた。外敵から身を守るには、結束するのがいちばんであることを本能的に知っているのである。群れのなかにいれば、襲われる心配が少ないし、みんなが守ってくれる。それに、不平や不満を主張するのにも、自分ひとりでやると浮いてしまう可能性があるが、仲間のみんなを引っ張り込んで主張すれば安心だし、怖くない。

だから、しばしば、女性は「みんな」を巻き込む作戦に出る。束が太くなれば力は強力になる。何かを訴えたいときに、それが自分ひとりの意見ではなく、「群れ」全体の意見であるように見せかけたり画策したりするのだ。よく女性は、「みんな、そう思っているんですよ」とか、「これはみんなの意見なんです」といった文句の言い方をするものだが、それも群れのパワーを強調したいがためだ。そして、そのような少々ずるい計算をためらいなく無意識のうちにはじきだせるのも、それだけ女性が「群れの力」に厚い信頼を置いているからだということができるだろう。

★「受容」、「共感」、「支持」がポイント

では、女性が徒党を組んで文句を言ってきたとき、男としてはどんな対応をとるのが賢いのだろうか。女性が多い職場などでは、おそらくこれは切実な問題だろう。いくつか対応策を挙げてみよう。

・まず話に共感を示す

カウンセリングのプロは、相手の訴えを聞く際に、「受容」「共感」「支持」「保証」「説得」という「聞く技術」をもって対応する。このプロセスのうち、特に重視したいのが「受容」「共感」「支持」のみっつ。頭ごなしに相手の主張を否定してはいけない。まず聞く耳を持ち（受容）、相手の立場を理解し（共感）、それを可能な限りサポートする（支持）という姿勢を見せるといいだろう。

なかでも女性の話を聞く際には「共感」することを大切にするべきだ。何度も触れたよう

に、女性は共感能力がたいへん発達している。だから、「それは、大変だったねえ」「その気持ち、よくわかるよ」というように、まず相手の立場を理解し、共感の意思を鮮明に打ち出すことが必要なのだ。

これは「フリ」でもかまわない。とにかく最初に「この人なら話をわかってくれそう」「なかなか話せるじゃない」という印象を抱かせることが必要なのだ。

•「感情面」をオウム返しにして共感する

女性の話に共感を示す場合は、なるべく部長がどうしたこうした、待遇がどうしたこうしたという「事実」ではなく、女性の不平不満やつらさなどの「感情面」に対して同意するほうがいい。

「事実」に同意や共感を示してしまうと後で角が立つ。だから、相手がどんな気持ちなのかを汲《く》み取り、その「感情」にポイントを絞って共感するのだ。さらに相手が訴える言葉をオウム返しにして共感するのもひとつのテクニックとしておすすめだ。これを心理療法の世界では「ペーシング」という。

たとえば相手が「こんなことで私たちはとても辛《つら》い思いをしているんですよ」と言ってくれば「そうか、それは辛かっただろうね」と答え、「こんなに困っているんです」と言ってくれば、「そうか、そんなに困っているんだ」と返す。

そしてペーシングは言葉だけでなく、しぐさや話すテンポ、声の大きさ、声のトーンなども相手に合わせるのである。相手が眉間《みけん》にしわを寄せて悲しそうな表情をしていたら、自分も眉間にしわを寄せて悲しそうな表情をする。相手がゆっくり話すなら、自分もゆっくり話す。こうすると相手は「共感してくれた」と安心感を持ち、緊張がとれて、防衛がとれるのである。相手が集団ならまず武装解除してくれる。

・解決の選択肢を出して選ばせる

解決策を提示する場合は、A案、B案、C案など、いくつかの選択肢をこちらから提示して、どれがいいかを相手に選ばせるといい。それによって妥協ラインが見えやすくなることもあるが、なにしろ女性の脳は「選ぶこと」が苦手だ。そういう条件提示の仕方をすると、自分たちでなかなか選ぶことができず、ああでもない、こうでもないと迷い始めることが多い。そうなれば、こちらサイドは「じゃあ、これにしよう」「こういう折衷案もある」というように具体案を出すことができ、イニシアチブを握って交渉が進められるようになる。

このように、女性との交渉ごとは、女性の脳や行動の特徴をつかみ、それを利用することで、よりスムーズに決着するケースが多い。職場で、家庭で、プライベートで、「束になってかかってくる女性たち」にお困りの方は、ぜひこれらの策を実践してみてはいかがだろうか。

30 男と女はわかり合えないのに、なぜ、こうも惹かれ合うのか？

★「動の幸せ」と「静の幸せ」

人はどこで幸せを感じるのだろう。

おそらく、多くの人が「心」と答えるだろう。

だが、その心の動きを生み出しているのは脳だ。幸せという感覚は脳によってつくり出されているのである。

脳がつくり出す幸せの感覚には、大きくふたつある。

それが「ドーパミン系の幸せ」と「セロトニン系の幸せ」だ。

ドーパミン系の幸せは、高揚感や爽快感《そうかいかん》をもたらす〝「動」の幸せ〟だ。ここにはPEAやβ-エンドルフィンなどの興奮系物質が生み出す快感も含まれる。恋愛やセックスで得られる快感刺激やスポーツや仕事などで得られる達成感などは、代表的な「動」の幸せと言えるだろう。

これに対し、セロトニン系の幸せは〝「静」の幸せ〟だ。これは、「子供を慈しむ気持ち」や「家族を大切に思う気持ち」などに代表される、ほんわかと包み込まれるような幸せ、のどかな午後の日差しのように穏やかな気分にさせてくれる充足感だと言っていい。

そして、これまで述べてきたように、これらふたつの脳内物質による幸せ感は、恋愛、結婚、出産、子育てといった、人生のそれぞれの段階において、さまざまな幸せのかたちを演出し、男性と女性の生きる力を効率的に引き出してくれる。

たとえば、ドーパミン系の幸せは、仕事や恋などの目標をつくり、若い人たちのやる気を生み出す。仕事で順調にステップ・アップができるのも、燃えるような恋ができるのも、その陰でドーパミンが意欲を駆り立ててくれているからだ。何度セックスをしてもし飽きないのも、ドーパミン系のホルモンが早く子孫を残すよう、その本能を駆り立てているからだ。

だが、ドーパミン系の幸せは長続きせず、結婚後、3〜4年もたつと、燃えるような情熱が影を潜め、次第にセロトニン系の幸せを感じられる安定した生活へと移行していく。

そして、子供が産まれれば、セロトニンはさらに活動を増し、子供や家族を大切に育《はぐく》んでいこうとする力を生み出す。幸せのかたちが「産むモード」から「育むモード」にシフトするのだ。だから、この時期はセックスの回数も減る。セロトニンが、「今はもうセックスよりも、家族と一緒に幸せを育むほうが大事だ」と働きかけているのだ。

しかし、こうしたセロトニン系の幸せも、子供が親元を離れ、「育む対象」がなくなると転換期を迎える。だからこの時期以降は、男性も女性も自分で「自分を幸せにする対象」を見つけていかねばならない。趣味でも勉強でも旅行でもいい。自分が生きがいを感じられる目標を自分で設定して、ドーパミンやセロトニンを意識的に活性化していく姿勢が必要になってくるのだ。

★脳が変われば、性格や行動も変わる

こうした全体的な流れで見てみると、人間はドーパミンやセロトニンが織り成す「幸せの感覚」に操られながら人生を送っているようにも見える。

人間を1種類の生物として見た場合、人生のもっとも重要な目的は遺伝子を残すことだ。ドーパミンもセロトニンも、その最重要課題を達成するために、出るべきときに出るようう まくプログラミングされている。子供をつくるべき種撒《たねま》きの時期はドーパミンが活性化して男性と女性をセックス・モードに駆り立て、子供を育てるべき時期はセロトニンが活性化して男性と女性を養育モードにする。これらふたつの「幸せホルモン」は、その時そのときの人生の段階に応じて、男性と女性の求める「幸せのかたち」をダイナミックに切り替えていく。そして、その幸せを叶《かな》えたときの「快感」を脳にインプットし、うまく力を引き出して

「遺伝子を残す」という大目的を遂行するようにできているのだ。

また、これらふたつの「幸せホルモン」は、その人の性格や行動にも大きな影響を及ぼす。ドーパミンとセロトニンは、人生の舞台が変わる度ごとに脳を大きく変化させる。これは、人生の舞台が変わる度ごとに演出家が変わるようなものだ。演出家が変われば、その劇の内容もガラリと変わる。それと同じように、脳が変わればその性格も変わるし、性格が変わればその行動も変わるのだ。

そして、特に女性の脳はその変化が大きい。出産や子育て、更年期などの節目ごとに、まさに劇的な変化を遂げる。性格も、行動も、「これが昔のあの彼女？」と目を疑うくらいに変わることもある。

だから、時として、男性には女性がわからなくなる。

男性の脳と女性の脳は、もともと構造も違えば機能も違う。もともと違うのに、そのうえ大きく変化するのだから、男性がわからなくなるのも当たり前だろう。

★男と女は変わるからこそおもしろい

では、このような男性の脳と女性の脳とが、お互いを理解してうまくつき合っていくにはどうすればいいのだろう。

ひとつには、「変化」に敏感になることだ。男性でも女性でも、脳には「変わり時」というものがある。自分のパートナーが「脱皮」をしようとしている兆候は、日ごろお互いをよく観察していればわかるはずだ。その変わり時に目を向けることだ。

たとえば、妻が更年期を前にして不調を訴えているのに、仕事にかまけて問題から目を逸らすような行動をとっていてはいけない。その妻はいま、「脱皮」を前にしてもがき苦しんでいるのだということを、夫もきちんと理解しなければならない。

そして、もうひとつ、パートナーに合わせて自分も変わらなくてはならない。相手を変えようとしてもそう変わるものではないが、自分が変われば相手も変わる。男性と女性は、そうやって「脱皮」を繰り返し、変わりながら成長していくものだ。人生の節目節目で脳を変え、性格や行動を変えて、お互いに刺激し合って年をとっていくものなのである。

ひと昔前までは、脳の細胞は大人になったら減る一方で、新しい細胞は生まれないというのが常識だった。だが、今は違う。脳の海馬では新しい細胞が日夜生まれていることがわかっているし、その新しい細胞が脳全体を活性化してさまざまな情報処理能力をアップすることもわかっている。つまり、年をとってからも、脳は成長するのである。

そして、その新しい脳細胞を生むために、欠かせないのが日常生活における「刺激」である。だから、男性と女性は、お互いの脳を刺激し合い、その刺激を栄養にして、脳を大きく成長させていくべきだ。お互いの違いに気づき、お互いの変化に驚き、お互いの成長に感動して、もっともっと刺激し合うべきなのだ。

男性には女性がわからないし、女性には男性がわからない。それは、脳が違うのだから当たり前だ。だが、お互いにわからないからこそ興味を持ち、惹かれ合い、大きく刺激され、それが新たな脳の成長を生むきっかけになる。そして活性化された脳がドーパミンやセロトニンを分泌して幸せへ向かっていく力を生み出してくれるのである。

つまり、男性と女性はわからないからこそおもしろい。そして、男性と女性は変わるからこそおもしろいのだ。世のなかには男性と女性しかいない。お互いの違いを大いに楽しみ、お互いの変化を大いに楽しもうではないか。

あとがき

★妻の気持ちがわからない

午前中の診察が長びいていた午後二時頃、友人からメールがはいった。

「妻のことで相談したい。今夜時間あるか？　何時になってもいい」

夜八時に待ち合わせをした。

彼の話によれば、前日、口論になった後、妻が過呼吸発作を起こし、救急車で運ばれたそうだ。ここ一カ月、妻は毎日毎日、自分が帰ってくると昔のことをあれこれひきずり出しては自分を責める。結婚後、知らない土地で一人家に取り残されたこと、育児を決して手伝ってくれなかったこと、頭が悪いと言っていつも責められていたこと、姑《しゅうとめ》からバカにされていたこと。そんなこと言ったかなというようなことを次から次へと出してくる。何度説明しても納得しない。どうしたら妻にやめさせることができるのか。

私は彼に言った。

「しゃべりたいだけ、しゃべらせた方がいい。今までたまっていた不満を封印しようとすれば、必ず身体が悪くなる。必ず病気になる。そうだね、辛《つら》かったね、僕も悪いところがあったね、と共感してあげたほうがいい」

それから、彼は毎晩帰宅すると徹底的に妻の話を聞くことにした。否定したいときもある。怒りたくなるときもある。たとえ家族であっても、堂々巡りの話を聞くのはしんどい。しかし、辛抱強く聞いてあげた。


一ヵ月もすると妻の話は減ってきた。

「私も変わらないとダメなのかな。でもできない」

いきつ戻りつしながらも、少しずつ前向きな姿勢を妻も示すようになってきた。医者からもらった薬もきちんと飲むようになった。

ある日、妻は言った。

「あなたがいなければ私は生きていけない」

妻はわかってほしかったのだ。私という一人の人間の存在を。

彼はそのとき、妻は自分が想像しないところでひとり苦しんでいたのだということを知った。自分がいなければ生きていけない程弱いこの妻を、自分が守らなくて誰が守るのか。彼はやっと妻にとって自分の存在が何であるのか気づいたのである。

最近は話の聞き方がうまくなったのか、妻の状態がよくなったのか、私に相談の電話をかけてくることがなくなった。

夫婦だから黙っていてもわかるはず、というのは幻想である。

★異生物間のコミュニケーションも可能

男と女は異生物なのだから、コミュニケーションしなければわからない。最も有効なコミュニケーション手段は「言葉」である。人間の脳は「言葉」によって発達してきた。だから、「言葉」に対して敏感にできている。男ももっと言葉を使って感情表現した方がよい。表現しないために男は多くの大切なものを失っている。

アメリカの作家、サイコセラピストのデイヴィッド・クンツは『心で感じる女腹で感じる男』のなかにこう書いている。

「女性にもてるのは、優しい男であり、その優しさとは、プレゼントを贈ったり、甘い言葉をかけることではなく、相手の感情を受け入れること、共感する心、響く心を持っていることなのだ」

「相手の気持ちを読み取る能力」を養うための方法は本文を参考にしてほしい。わからなければ、相手に聞けばよい。求めるものを与えるのがもっとも効率的だ。今からでもできる。今日からあなたのそばにいる女性に試してほしい。

最後に、筆者にも男と女を見直すきっかけとなったこの本を書く機会を与えてくださり、遅筆の私を励ましてくださった角川書店の栗原優氏、そして資料集めに協力してくださった高橋明氏に感謝したい。

二〇〇六年三月

姫野友美

〈参考文献〉

新井康允著『男脳と女脳こんなに違う――感情・思考・行動…性差の謎を解く脳科学』河出書房新社刊、一九九七年

アラン・ピーズ、バーバラ・ピーズ著、藤井留美訳『話を聞かない男、地図が読めない女――男脳・女脳が「謎」を解く』主婦の友社刊、二〇〇二年

久恒辰博著『「幸せ脳」は自分でつくる――脳は死ぬまで成長する』講談社刊、二〇〇三年

澤口俊之著『澤口教授の暮らしに活かせる脳科学講座』ロングセラーズ刊、二〇〇一年

竹内久美子著『浮気人類進化論――きびしい社会といいかげんな社会』晶文社刊、一九八八年

デイヴィッド・クンツ著、伊藤和子訳『心で感じる女腹で感じる男』阪急コミュニケーションズ刊、二〇〇五年

デズモンド・モリス著、日高敏隆訳『裸のサル――動物学的人間像』角川書店刊、一九九〇年

ハリエット・B・ブレイカー著、種田幸子訳『Eタイプ・ウーマン――頑張りすぎる女性のストレスとは』廣済堂出版刊、一九九二年

ヘレン・E・フィッシャー著、吉田利子訳『愛はなぜ終わるのか——結婚・不倫・離婚の自然史』草思社刊、一九九三年
山元大輔著『男と女はなぜ惹きあうのか——「フェロモン」学入門』中央公論新社刊、二〇〇四年
山元大輔著『恋愛遺伝子——運命の赤い糸を科学する』光文社刊、二〇〇一年

姫野友美（ひめの　ともみ）

医学博士、心療内科医、ひめのともみクリニック院長。静岡県生まれ。東京医科歯科大学医学部卒業。ひめのともみクリニックで多くのビジネスマン、ビジネスウーマンの診察とカウンセリングを行なっている。日本テレビ系列「午後は○○おもいッきりテレビ」やテレビ朝日系列「スーパーJチャンネル」、TBSラジオ「生島ヒロシのおはよう一直線」などのコメンテーターとしてもおなじみ。著書として『クヨクヨからスッキリへ、こころのクセを変えるコツ——自分でできる“認知療法”エクササイズ』、『大丈夫！　そんなにがんばらなくても——あなたの努力がむくわれるヒント』などがある。

ひめのともみクリニック　http://himeno-clinic.com/

本文イラスト・野呂和史、図表作成・副島和彦

女《おんな》はなぜ突然《とつぜん》怒《おこ》り出《だ》すのか？

姫野《ひめの》友美《ともみ》

二〇〇六年三月十日　初版発行
二〇〇六年六月五日　四版発行

発行者　井上伸一郎
発行所　株式会社角川書店
東京都千代田区富士見二—十三—三
〒一〇二—八一七七
振替〇〇一三〇—九—一九五二〇八
電話／営業　〇三—三二三八—八五二一
編集　〇三—三二三八—八五五五

装丁者　緒方修一（ラーフイン・ワークショップ）
印刷所　暁印刷
製本所　BBC

落丁・乱丁本は小社受注センター読者係宛にお送りください。
送料は小社負担でお取り替えいたします。

ISBN4-04-710026-9 C0295　角川oneテーマ21　B-81